Bibliothèque des Histoires

GEORGES DUBY

de l'Académie française

DAMES
DU XIIᵉ SIÈCLE

I

HÉLOÏSE, ALIÉNOR, ISEUT
ET QUELQUES AUTRES

GALLIMARD

Je livre ici quelques notes. Ce sont les fruits d'une enquête hasardeuse, longue et pourtant incomplète. Je l'ai menée de mon mieux, voulant voir plus clairement qui étaient au xiie siècle, en France, ces femmes que l'on nommait dames parce qu'elles avaient épousé un seigneur, connaître quel sort leur était fait dans leur monde, le beau monde, aux degrés supérieurs de la société brutale et raffinée que nous appelons féodale. Je suis resté volontairement sur ces hauteurs car elles seules sont assez éclairées. Cependant, même ici, l'obscurité demeure épaisse. L'historien s'avance péniblement sur un terrain difficile dont les limites reculent sans cesse devant ses pas.

Les dames de ces temps lointains n'ont pour lui ni visage ni corps. Il a le droit de les imaginer, lors des grandes parades de cour, revêtues de robes et de manteaux semblables à ceux où se drapent les vierges et les saintes sur les portails et sur les vitraux des églises. Mais la vérité corporelle que robes et manteaux laissaient à découvert et qu'ils enveloppaient échappera toujours à son regard. Les artistes, en effet, pas plus d'ailleurs que les poètes, ne se souciaient alors de réalisme. Ils figuraient des symboles et s'en tenaient aux formules convenues. N'espérons donc pas découvrir la physionomie particulière de ces femmes sur les très rares effigies, et ce sont celles des plus puissantes d'entre elles, qui sont parvenues jusqu'à nous. Non moins rares sont les objets qu'elles ont tenus dans leurs mains et que nous pouvons encore toucher. Où sont les ornements qu'elles ont portés, mis à part quelques bijoux et ces lambeaux de tissus somptueux venus d'Orient dont on peut penser qu'elles furent parées avant qu'ils n'aillent, offerts en aumône, empaqueter dans les châsses les saintes reliques ? Point d'images concrètes par conséquent, ou presque. Toute l'information provient de l'écrit.

Je suis donc parti de textes, du peu de textes qui nous restent de cette époque, tentant de dégager au départ de cette enquête les traits de quelques figures de femmes. Sans illusion. Il est déjà si difficile, en effet, de se faire quelque idée des hommes, et des plus célèbres, de ceux qui ont transformé le monde. François d'Assise, Philippe Auguste, et même Saint Louis malgré Joinville, que perçoit-on de leur personnalité ? Alors, les femmes, dont on a beaucoup moins parlé ? Elles ne seront jamais pour nous que des ombres indécises, sans contour, sans profondeur, sans accent. J'avertis tout de suite. Ce que je m'emploie à montrer n'est pas le réellement vécu. Inaccessible. Ce sont des reflets, ce que reflètent des témoignages écrits. Je me fie à ce qu'ils disent. Qu'ils parlent vrai, qu'ils parlent faux, là n'est pas ce qui m'importe. L'important pour moi est l'image qu'ils procurent d'une femme et, par elle, des femmes en général, l'image que l'auteur du texte se faisait d'elles et qu'il a voulu livrer à ceux qui l'ont écouté. Or, dans ce reflet, la réalité vivante est inévitablement déformée, et pour deux raisons. Parce que les écrits datant de l'époque que j'étudie – et ce caractère, dans l'espace français, n'a pas changé avant la fin du XIIIe siècle – sont tous officiels, lancés vers un public, jamais repliés sur l'intime, et parce qu'ils sont écrits par des hommes.

L'écriture, la belle écriture, celle qui a résisté à l'usure du temps et que je lis, ne fixait que des paroles importantes, et dans des formes artificielles, le latin ou bien ce langage sophistiqué que l'on employait dans les réunions mondaines. Elle fut certes parfois lue en privé – mais toujours à voix haute, remâchant les mots – le long des travées d'un cloître, ou dans la chambre des dames, ou bien dans ces réduits garnis de livres où quelques hommes s'appliquaient à recopier des phrases et à en forger de nouvelles. Cependant, tous ces textes ont été composés pour être déclamés, souvent chantés, devant un auditoire. Tous, même ceux qui visaient principalement à divertir, les romans, les chansons, les contes à rire, avaient fonction d'enseigner. Ils ne se préoccupaient pas de décrire ce qui est, ils tiraient de l'expérience quotidienne, et sans s'interdire de la rectifier, de quoi délivrer une leçon morale. Affirmant ce qu'il faut savoir ou croire, ils entendaient imposer un ensemble d'images exemplaires. En fin de compte, pas plus que la sculpture ou la peinture, la littérature du XIIe siècle n'est réaliste. Elle figure ce que la société veut et doit être. Reconstituer un système de valeurs, voilà tout ce qu'il m'est possible de faire à partir de ces mots proférés, je le répète, à haute et intelligible voix. Et reconnaître dans ce système la place assignée aux dames par le pouvoir masculin.

Au masculin, en effet, appartient dans cette société tout l'officiel, tout ce qui relève du public, à commencer par l'écriture. *Mâle Moyen Âge, L'Homme médiéval*, par les titres qu'il a donnés à ses livres, l'historien l'avoue : seuls les hommes de ce temps sont quelque peu visibles et ils lui cachent le reste, notamment les femmes. Quelques-unes d'entre elles sont bien là, mais représentées. Symboliquement. Par des hommes et qui, la plupart, sont d'Église, astreints donc à ne pas s'approcher d'elles de trop près. Les dames du XIIe siècle savaient écrire, et sans doute mieux que les chevaliers, leurs maris ou leurs frères.

Introduction

Certaines ont écrit et quelques-unes peut-être ont écrit ce qu'elles pensaient des hommes. Mais à peu près rien ne subsiste de l'écriture féminine. Résignons-nous : rien n'apparaît du féminin qu'à travers le regard des hommes. Mais, au fond, les choses ont-elles si radicalement changé ? Hier comme aujourd'hui, la société ne montre d'elle-même que ce qu'elle juge bon d'exhiber. Cependant, ce qu'elle dit, et surtout peut-être ce qu'elle ne dit pas, permet d'entrevoir ses structures.

J'ai donc relu des textes, m'efforçant de m'identifier à ceux qui les ont écrits afin de dissiper les idées fausses qui depuis en ont dérangé le sens. Je les ai relus en tâchant d'oublier, car moi aussi je suis un homme, l'idée que je me fais des femmes, et peut-être n'y suis-je pas toujours parvenu. Pour éclairer le champ de ma recherche, je présente ici six figures de femmes que j'ai choisies parmi les moins indistinctes. C'est un commencement, utile. Un autre livre traitera du souvenir des aïeules, tel qu'il se conservait dans les maisons de la haute noblesse : d'autres images apparaîtront ainsi, plus floues, précisant néanmoins l'image que les chevaliers se faisaient en ce temps des dames. Je me propose enfin d'examiner de près dans un troisième tome quel jugement portaient sur ces femmes les hommes d'Église qui dirigeaient leur conscience et s'efforçaient de les tirer de leur perversité native.

Aliénor

Sous la coupole centrale de l'église de Fontevraud – c'était, dans la France du xıı^e siècle, l'une des plus vastes, des plus prestigieuses abbayes de femmes –, on voit aujourd'hui quatre gisants, vestiges d'anciens monuments funéraires. Trois de ces statues sont taillées dans le calcaire tendre, celle d'Henri Plantagenêt, comte d'Anjou et du Maine par ses ancêtres paternels, duc de Normandie et roi d'Angleterre par ses ancêtres maternels, celle de son fils et successeur Richard Cœur de Lion, celle d'Isabelle d'Angoulême, seconde femme de Jean sans Terre, le frère de Richard, qui devint roi à son tour en 1199. La quatrième effigie, en bois peint, représente Aliénor, héritière du duché d'Aquitaine, épouse d'Henri, mère de Richard et de Jean, qui le 31 mars 1204 mourut à Fontevraud où elle avait enfin pris le voile.

Le corps de cette femme est allongé sur la dalle, comme il avait été exposé sur le lit de parade durant la cérémonie des funérailles. Il est pris tout entier dans les plis de la robe. Une guimpe enserre le visage. Les traits en sont d'une pureté parfaite. Les yeux sont clos. Les mains tiennent un livre ouvert. Devant ce corps, ce visage, l'imagination peut se donner libre cours. Mais de ce corps, de ce visage lorsqu'ils étaient vivants, le gisant, admirable, ne dit rien de vrai. Aliénor était morte depuis des années lorsqu'il fut façonné. Le sculpteur avait-il jamais vu de ses yeux la reine ? De fait, ceci importait peu : l'art funéraire en ce temps ne se souciait pas de ressemblance. Dans sa pleine sérénité, cette figure ne prétendait pas reproduire ce que le regard avait pu découvrir sur le catafalque, le corps, le visage d'une femme de quatre-vingts ans qui s'était durement battue contre la vie. L'artiste avait reçu commande de montrer ce que deviendraient dans leur plénitude ce corps et ce visage au jour de la résurrection des morts. Par conséquent, nul ne pourra jamais mesurer la puissance de séduction dont l'héritière du duché d'Aquitaine était investie quand, en 1137, elle fut livrée à son premier mari, le roi Louis VII de France.

Elle avait alors environ treize ans, lui seize. « Il brûlait d'un amour ardent pour la jouvencelle. » C'est du moins ce que rapporte, un demi-siècle plus tard, Guillaume de Newburgh, l'un de ces moines d'Angleterre qui recomposaient alors, avec grande habileté, la suite des événements du temps passé. Guillaume ajoute : « Le désir du jeune capétien fut emprisonné dans un étroit filet » ; « Rien d'étonnant, tant étaient vifs les charmes corporels dont Aliénor était gratifiée. » Lambert de Watreloos, chroniqueur, les jugeait lui aussi de très haute qualité. Que valent, en vérité, de tels éloges ? Les convenances obligeaient les écrivains de ce temps à célébrer la beauté de toutes les princesses, même des moins gracieuses. En outre, celle-ci était déjà, dans toutes les cours, vers 1190, l'héroïne d'une légende scandaleuse. Quiconque était amené à parler d'elle se trouvait naturellement enclin à doter d'une exceptionnelle capacité d'ensorcellement les appas qu'elle avait naguère mis en œuvre.

Cette légende a la vie dure. Aujourd'hui, quelques auteurs de romans historiques s'en enchantent encore et je connais même des historiens très sérieux dont elle continue d'enflammer l'imagination et de la dévoyer. Depuis le romantisme, Aliénor fut tour à tour présentée en tendre victime de la cruauté froide d'un premier époux, insuffisant et borné, d'un second époux, brutal et volage, ou bien en femme libre, maîtresse de son corps, tenant tête aux prêtres, bravant la morale des cagots, porte-étendard d'une culture brillante, joyeuse et injustement étouffée, celle de l'Occitanie, contre la sauvagerie cafarde, contre l'oppression du Nord, mais toujours affolant les hommes, légère, pulpeuse et se jouant d'eux. Ne passe-t-elle pas, dans les ouvrages les plus austères, pour la « reine des troubadours », leur complaisante inspiratrice ? Beaucoup ne prennent-ils pas pour argent comptant ce qu'André le Chapelain, par moquerie, dit d'elle dans son *Traité de l'amour*, les sentences ridicules qu'il forge et lui attribue ? Celle-ci, par exemple, dont tout lecteur alors goûtait la féroce ironie : « Nul ne peut légitimement arguer de l'état conjugal pour se dérober à l'amour. » Aux jeux de l'amour courtois. Pour un peu, Aliénor les aurait inventés. Ces manières de galanterie se seraient en tout cas par son entremise diffusées à travers l'Europe depuis son Aquitaine natale. À vrai dire, les jugements erronés des érudits modernes sont excusables. Le souvenir de cette femme s'est très tôt déformé. Elle n'était pas morte depuis cinquante ans que déjà la biographie imaginaire de Bernard de Ventadour en faisait la maîtresse de ce très grand poète. Que le prédicateur Étienne de Bourbon, vitupérant les plaisirs coupables que procure le toucher, donnait en exemple la perverse Aliénor : un jour, trouvant à son goût les mains du vieux professeur Gilbert de la Porrée, elle l'aurait invité à lui caresser de ses doigts les hanches. Quant au Ménestrel de Reims — on connaît la forte inclination de cet aimable conteur à fabuler pour plaire à ses auditeurs, mais ici il reprenait les propos de ceux qui racontaient, de plus en plus nombreux, que la reine de France, durant la croisade, était allée jusqu'à livrer son corps à des

Sarrasins –, il lui prêtait une idylle avec le plus illustre de ces mécréants, Saladin. Elle s'apprêtait, dit-il, à filer avec lui, un pied déjà dans le navire, quand son mari, Louis VII, parvint à la rattraper. Non seulement volage, livrant son corps de baptisée à l'infidèle. Trahissant, outre son mari, son Dieu. Le comble du dévergondage.

De telles fantaisies se construisaient au XIIIe siècle sur les ragots que, de son vivant, l'on avait colportés à propos de la reine vieillissante. Certains d'entre eux ont été recueillis dans neuf des ouvrages historiques composés entre 1180 et les années 1200 qui sont parvenus jusqu'à nous et qui procurent à peu près tout ce que l'on sait d'elle. Cinq ont pour auteurs des Anglais, car c'est en Angleterre que s'écrivait alors la bonne histoire. Tous sont l'œuvre de gens d'Église, de moines ou de chanoines, et tous présentent Aliénor sous un jour défavorable. Ce pour quatre raisons. La première, fondamentale, est qu'il s'agit d'une femme. Pour ces hommes, la femme est une créature essentiellement mauvaise par qui le péché s'introduit dans le monde, avec tout le désordre qu'on y voit. Seconde raison : la duchesse d'Aquitaine avait pour grand-père le fameux Guillaume IX. Or ce prince, dont la tradition a fait le plus ancien des troubadours, avait lui aussi émoustillé en son temps l'imagination des chroniqueurs. Ceux-ci ont dénoncé le peu de cas qu'il faisait de la morale ecclésiastique, la liberté de ses mœurs, son excessive propension à la bagatelle, évoquant cette sorte de harem où, comme en parodie d'un monastère de nonnes, il avait entretenu pour son plaisir une compagnie de belles filles. Deux autres faits, enfin et surtout, condamnaient Aliénor. À deux reprises, se dégageant de la soumission que les hiérarchies instituées par la volonté divine imposent aux épouses, elle avait fauté gravement. Une première fois en demandant et en obtenant le divorce. Une seconde fois, en secouant la tutelle de son mari et en dressant contre lui ses fils.

Le divorce, immédiatement suivi d'un remariage, fut en 1152 la grande affaire européenne. Parvenu dans sa chronique à cette date, le moine cistercien Aubry des Trois Fontaines relate cette année-là cet unique événement. Laconiquement et avec d'autant plus de force : Henri d'Angleterre, écrit-il, prit pour femme celle dont le roi de France venait de se débarrasser : « Louis l'avait laissée, à cause de l'incontinence de cette femme, qui ne se conduisait pas comme une reine, mais bien plutôt comme une putain. » De tels transferts d'épouses du lit d'un mari dans celui d'un autre, il ne manquait pas de s'en produire fréquemment dans la haute aristocratie. Que celui-ci ait eu un tel retentissement s'explique. Dans l'Europe dont l'unité s'identifiait alors à celle de la chrétienté latine et que le pape, par conséquent, entendait diriger, mobiliser pour la croisade et, pour cette raison, garder en paix en préservant l'équilibre entre les États, ces États, dans le très vif élan de croissance qui entraînait alors l'Occident, commençant à se renforcer. C'était le cas des deux grandes principautés rivales, celles dont le roi de France et le roi d'Angleterre étaient les maîtres. Toutefois, au sein de structures politiques encore très frustes, le destin de ces formations politiques dépendait pour une très large part des dévolutions successorales et des alliances, donc du mariage de l'héritier. Or, Aliénor était l'héritière d'un troisième État, de moindre envergure certes, cependant considérable, l'Aquitaine, une province étendue entre Poitiers et Bordeaux, avec des vues sur Toulouse. Changeant d'époux, elle emportait avec elle ses droits sur le duché. D'autre part, l'Église, au milieu du xiie siècle, achevait de faire du mariage l'un des sept sacrements afin de s'en assurer le contrôle. Elle imposait à la fois de ne jamais rompre l'union conjugale et, contradictoirement, de la rompre immédiatement en cas d'inceste, c'est-à-dire s'il s'avérait que les conjoints étaient parents en deçà du septième degré. Dans l'aristocratie ils l'étaient tous. Ce qui permettait à l'autorité ecclésiastique, en fait au pape lorsqu'il s'agissait du mariage des rois, d'intervenir à sa guise pour nouer ou pour dénouer et de se rendre maître ainsi du grand jeu politique.

Bien après coup, le Ménestrel de Reims relate de cette façon ce qui décida du divorce. Louis VII, rapporte-t-il, « prit conseil de tous ses barons pour ce qu'il ferait de la reine et leur exposa comment elle s'était comportée. – Par notre foi, dirent les barons, le meilleur conseil que nous vous donnons, c'est que vous la laissiez aller, car c'est un diable, et si vous la gardez plus longtemps, nous croyons qu'elle vous fera mourir. Et par-dessus tout, vous n'avez pas d'enfant d'elle ». Diablerie, stérilité : deux défauts majeurs en vérité, et le mari prenant l'initiative.

Jean de Salisbury cependant, éminent représentant de la renaissance humaniste du xiie siècle, lucide, parfaitement informé, est un meilleur témoin. Il écrivait beaucoup plus tôt, huit ans seulement après l'événement, en 1160. Il s'était trouvé auprès du pape Eugène III en 1149 lorsque celui-ci accueillit Louis VII et sa femme à Frascati, Rome étant alors aux mains d'Arnaud de Brescia, autre intellectuel de première grandeur, celui-ci contestataire. Le couple revenait d'Orient. Le roi de France, conduisant la seconde croisade, avait emmené avec lui Aliénor. Après l'échec de l'expédition et les difficultés qui s'ensuivirent pour les établissements latins de Terre sainte, les gens d'Église s'interrogeaient sur les causes de ces déboires et prétendaient qu'ils venaient précisément de là. « Captif d'une passion véhémente pour son épouse », dit Guillaume de Newburgh (et c'est pour l'expliquer qu'il insiste sur les attraits physiques de la reine), Louis VII, jaloux, « jugea qu'il ne devait pas la laisser derrière lui, et qu'il convenait à la reine de l'accompagner au combat ». Il donnait le mauvais exemple. « Beaucoup de nobles l'imitèrent, et comme les dames ne pouvaient se passer de chambrières », l'armée du Christ, qui eût dû présenter l'image de la chasteté virile, fut encombrée de femmes, donc envahie de turpitudes. Dieu s'en irrita.

Tout, en fait, s'était mal passé au cours du voyage. À Antioche, en mars 1148, Aliénor avait rencontré Raymond, le frère de son père, maître de la ville. L'oncle et la nièce s'entendirent bien, trop bien même aux yeux du mari qui s'inquiéta et précipita le départ pour Jérusalem. Aliénor refusa de le suivre. Il l'entraîna de force. Si l'on en croit Guillaume, archevêque de Tyr, qui certes rédigeait son ouvrage historique trente ans plus tard, en un moment où la légende était en pleine efflorescence, mais, ne l'oublions pas, du vivant de la reine, et qui était d'ailleurs le mieux placé pour recueillir les échos de l'affaire, les relations entre Raymond et Aliénor auraient été poussées fort loin. Afin de retenir le roi et d'utiliser son armée pour sa propre politique, le prince d'Antioche aurait projeté de lui enlever, « par violence ou par intrigue », sa femme. Celle-ci, selon l'historien, était d'accord. En effet, dit-il, « elle comptait parmi les folles femmes. de conduite imprudente, comme on l'avait vu auparavant et comme on devait le voir plus tard à son comportement, elle se moqua, contre la dignité royale, de la loi du mariage et ne respecta pas le lit conjugal ». Moins crûment s'exprime ici, déjà, l'accusation portée par Aubry des Trois Fontaines : Aliénor était dépourvue de cette retenue qui sied aux épouses, principalement aux épouses des rois, et qui contrebat leur penchant naturel à la luxure.

Jean de Salisbury, quant à lui, ne met en avant qu'une faute, mais très largement suffisante, la rébellion. Résistant à son mari, c'est-à-dire à son maître, Aliénor à Antioche exigea de se séparer de lui. Revendication évidemment intolérable : s'il était communément admis qu'un homme répudiât sa femme, comme il se débarrassait d'un mauvais serviteur, l'inverse paraissait scandaleux. Pour divorcer, la reine invoquait le meilleur des prétextes, la consanguinité. Elle déclarait qu'elle et lui étaient parents au quatrième degré, ce qui était vrai, et que, plongés dans le péché, ils ne pouvaient évidemment demeurer plus longtemps ensemble. Étrange révélation en vérité : d'une telle parenté, claire comme le jour, personne n'avait fait état depuis onze ans qu'ils étaient mariés. Louis était pieux, il fut troublé et, « bien qu'il aimât la reine d'un amour immodéré », s'apprêtait à la laisser partir. L'un de ses conseillers, qu'Aliénor n'aimait pas et qui ne l'aimait pas, l'aurait retenu de céder, avançant cet argument : « Quel opprobre pour le royaume de France si l'on apprenait que le roi s'était laissé prendre sa femme ou qu'elle l'avait quitté ! » Depuis Paris, l'abbé Suger, le mentor de Louis VII, donnait le même conseil : réfréner la rancœur, tenir bon en attendant la fin du voyage.

Les deux conjoints vivaient dans la poursuite de leur mésentente lorsque, au retour du pèlerinage de Jérusalem, ils furent reçus par le pape. Celui-ci s'évertua à les réconcilier. Il y trouvait profit. D'une part, il manifestait hautement son pouvoir de contrôle sur l'institution matrimoniale. Il redoutait, d'autre part, les troubles politiques que ce divorce risquait de causer. Les époux comparurent devant lui – et l'on peut suivre ici Jean de Salisbury, il était présent. Il écouta leurs récriminations. Il les apaisa. Le roi en fut ravi, toujours dominé par une passion que Jean dit « puérile », par ce désir que l'on se doit de maîtriser quand on est un homme, un vrai, et plus particulièrement un roi. Le pape Eugène III alla même jusqu'à remarier les conjoints, respectant scrupuleusement les formes, renouvelant tous les rites requis, en premier lieu l'engagement mutuel, exprimé de vive voix et par écrit, puis la conduite solennelle vers le lit de noces somptueusement paré, le pape tenant en cet endroit le rôle du père et surveillant que tout se passât comme il fallait. Pour finir, il interdit solennellement de dissoudre jamais cette union et de reparler jamais de consanguinité. Moins de trois ans après on en reparla et, cette fois encore, pour justifier le divorce. Ce fut à Beaugency, près d'Orléans, devant une grande assemblée de prélats. Des témoins comparurent, jurèrent, ce qui ne faisait aucun doute, que Louis et Aliénor étaient du même sang. Le mariage était donc incestueux. Par conséquent, ça n'était pas un mariage. Le lien n'avait même pas à être brisé : il n'existait pas. Nul ne tint compte de l'interdiction pontificale. Le roi s'était résigné sur le conseil de ses vassaux, celui que rapporte le Ménestrel de Reims à qui l'on peut sans doute, sur ce point, faire crédit. Aliénor avait-elle entre-temps dépassé les bornes ? S'était-elle conduite en gourgandine lors de la visite, l'an d'avant, à Paris, des Plantagenêts, père et fils ? La raison première fut, j'en suis persuadé, qu'elle était stérile. Stérile, elle ne l'était pas, à vrai dire, tout à fait, et s'il y eut stérilité, ce n'était pas de son fait, comme le donne à penser la fécondité exubérante dont elle fit preuve dans les bras d'un nouveau mari. Mais, en quinze ans de conjugalité, elle n'avait donné que deux filles, et de façon quasi miraculeuse. La première était née, après une fausse couche et sept ans de vaine attente, à la suite d'un dialogue dans la basilique de Saint-Denis. Aliénor s'était plainte à

Bernard de Clairvaux des rigueurs de Dieu qui l'empêchait d'enfanter. Le saint lui avait promis qu'elle serait enfin féconde si elle amenait le roi Louis à s'accorder avec le comte de Champagne, à terminer une guerre que d'ailleurs elle avait peut-être elle-même allumée. La seconde fille était venue au monde dix-huit mois seulement avant le concile de Beaugency, par l'effet de la réconciliation de Frascati, de la nouvelle nuit de noces et des abondantes bénédictions pontificales. Or il était urgent que le roi de France eût un héritier mâle. Cette femme paraissait peu capable de le lui procurer. Elle fut rejetée, en dépit de ses charmes, et malgré l'Aquitaine, la belle province qu'elle avait apportée en se mariant et que, quittant la cour aussitôt après l'annulation, elle remportait.

Aliénor redevenait en 1152 ce qu'elle avait été à treize ans, un parti magnifique, une aubaine pour celui des prétendants qui parviendrait à s'en saisir. Beaucoup la guettaient. Deux faillirent la prendre durant le court voyage qui la conduisit d'Orléans à Poitiers. Elle réussit à s'enfuir de Blois, de nuit, avant que le seigneur de la ville, le comte Thibaut, ne parvînt à en faire de force sa femme, puis, suivant l'avertissement de ses anges gardiens, elle évita le passage où l'attendait en embuscade le frère d'Henri Plantagenêt. Ce fut dans les bras de ce dernier qu'elle tomba. Gervais de Canterbury suggère qu'Aliénor avait préparé son coup ; il affirme qu'elle signifia par messager secret au duc de Normandie qu'elle était disponible. Henri, « alléché par la qualité du sang de cette femme mais plus encore par les domaines qui dépendaient d'elle », se précipita. Le 18 mai, il l'épousait à Poitiers. En dépit des obstacles. Je ne parle ni de la différence d'âge (Henri avait dix-neuf ans, Aliénor vingt-neuf, elle avait depuis longtemps pénétré dans ce qu'à l'époque on considérait comme l'âge mûr), ni de la consanguinité, aussi patente, aussi étroite que dans l'union précédente, je parle du soupçon de stérilité qui pesait sur l'ex-reine de France et, surtout, de l'interdit qu'avait jeté sur elle, s'adressant à son fils, le père d'Henri, Geoffroi Plantagenêt, sénéchal du royaume. Ne la touche pas, lui aurait-il dit, pour deux raisons : « C'est la femme de ton seigneur, et puis ton père l'a déjà connue. » On jugeait alors indécent, en effet, et plus coupable que la transgression de l'inceste tel que le concevait l'Église, de coucher avec la compagne de son seigneur. Quant à partager avec son père une partenaire sexuelle, il s'agit là de l'inceste « du deuxième type » dont Françoise Héritier a démontré qu'il est « primordial » et, à ce titre, strictement condamné dans toutes les sociétés. Ils sont deux historiens sur neuf, tardifs il est vrai et bavards, Gauthier Map et Giraud le Cambrien, à rappeler que Geoffroi avait, comme dit l'un d'eux, « pris sa part de ce qu'il y avait dans

le lit de Louis ». Ce double témoignage rend crédible
le fait et confirme qu'Aliénor n'était pas des plus
farouches.

On s'était évidemment régalé dans les assemblées
courtoises de cette aventure et tous ceux qui jalousaient, qui craignaient le roi de France ou qui tout
simplement aimaient à rire, se gaussèrent de lui. Ici
se trouve le fondement de la légende, et les écrivains
qui dans les monastères et dans les bibliothèques
cathédrales s'appliquaient à remémorer ce qui s'était
passé de leur temps se plurent à recueillir de tels
racontars lorsque, dix ans après le concile de Beaugency, Aliénor s'affirma de nouveau rebelle. Elle se
dressa contre son second mari.

Elle avait cinquante ans. Désormais inféconde et
ses charmes vraisemblablement moins éclatants, elle
n'avait plus d'utilité pour son homme. Elle entrait
dans cette étape de l'existence où les femmes, au
xiiᵉ siècle, lorsqu'elles ont survécu aux enfantements
ininterrompus, sont le plus souvent débarrassées de
leur époux, où, disposant du douaire qu'elles ont
reçu lors du mariage, respectées d'ordinaire par leurs
enfants, notamment par leur fils aîné, elles tiennent
pour la première fois de leur vie un vrai pouvoir et
en jouissent. Aliénor ne disposait pas d'une telle
liberté. Henri vivait encore. Jamais assis, toujours
galopant d'un bout à l'autre des immenses possessions qu'il avait par le hasard des successions réunies

dans ses mains, d'Irlande en Quercy, de Cherbourg aux frontières de l'Écosse, le roi d'Angleterre, duc de Normandie, comte d'Anjou et duc d'Aquitaine au nom d'Aliénor, ne s'était jamais beaucoup soucié d'elle. Il l'avait traînée parfois avec lui de part et d'autre de la Manche lorsqu'il avait intérêt à la montrer à ses côtés. Il l'avait engrossée de-ci de-là, à la va-vite. Maintenant, il la délaissait tout à fait, s'amusant avec d'autres femmes. Mais il était toujours là.

Pour tirer parti des chances qui lui restaient, Aliénor s'appuya sur ses garçons et spécialement sur l'un d'eux, Richard. L'aîné, Guillaume, était mort dans l'enfance. En 1170, harcelé par les deux suivants qui grandissaient et réclamaient impatiemment une part de pouvoir, Henri avait dû céder. Il avait associé au trône Henri, quinze ans. À Richard, treize ans, il avait concédé l'héritage de sa mère, l'Aquitaine. Aliénor, naturellement, se tint derrière l'adolescent, croyant pouvoir, agissant en son nom, devenir enfin maîtresse de son patrimoine ancestral. Au printemps 1173, elle se risqua plus loin. Elle soutint la révolte de ces deux garçons insatiables et de leur cadet. Les rébellions de cette sorte opposant les fils au père qui tardait à mourir étaient en ce temps monnaie courante, mais l'on voyait plus rarement la mère des trublions prendre parti pour eux et trahir son mari. L'attitude d'Aliénor fit donc scandale. Elle semblait pour la seconde fois enfreindre les règles fondamentales de la conjugalité. C'est ce que lui fit savoir l'archevêque de Rouen : « L'épouse, dit-il, est coupable lorsqu'elle s'écarte de son mari, lorsqu'elle ne respecte pas fidèlement le pacte d'alliance [...]. Nous déplorons tous que tu te sépares ainsi de ton mari. Voici que le corps s'éloigne du corps, que le membre ne sert plus la tête et, ce qui dépasse les bornes, tu permets que les entrailles du seigneur roi et les tiennes s'insurgent contre leur père [...]. Reviens à ton homme, sinon, conformément au droit canon, nous te contraindrons de revenir à lui. » Une telle algarade, tous les seigneurs d'Europe auraient pu la prononcer. Ils étaient tous en effet persuadés que, comme l'affirmait le prélat, « l'homme est le chef de la femme, que la femme a été tirée de l'homme, qu'elle est unie à l'homme et soumise à la puissance de l'homme ».

Henri vint à bout du soulèvement. En novembre, Aliénor était entre ses mains, capturée alors que, vêtue d'un habit masculin, autre manquement grave à la loi, elle tentait de se réfugier auprès de son ancien époux, le roi de France. Il l'enferma au château de Chinon. Certains disent qu'il songea à la répudier, prenant prétexte, cette fois encore, de consanguinité. C'était risquer gros, il le savait d'expérience. Il préféra la tenir prisonnière dans telle ou telle forteresse jusqu'à la veille de sa mort en 1189. Durant toutes ces années, on parla beaucoup d'elle, non point pour l'honorer, comme le font les rêveurs d'aujourd'hui, pour célébrer ses vertus, pour en faire la première héroïne du combat féministe ou bien de l'indépendance occitane, mais au contraire pour dénoncer sa mauvaiseté. On en parla partout, rappelant son aventure capétienne, car ses gestes mettaient en pleine évidence les puissances terrifiantes dont est douée par nature la femme, luxurieuse et traîtresse. Ils démontraient que le démon se sert d'elle pour semer la turbulence et le péché, ce qui rend évidemment indispensable de maintenir les filles sous l'étroit contrôle des pères, les épouses sous celui des maris et de cloîtrer les veuves dans un monastère. À Fontevraud par exemple. À la fin du XIIe siècle, tous les hommes avertis du comportement de la duchesse d'Aquitaine voyaient en elle la représentation exemplaire de ce qui les tentait et les inquiétait à la fois dans la féminité.

De fait, le destin d'Aliénor ne diffère guère de celui des femmes de haut parage dont le hasard, en les privant d'un frère, avait fait les héritières d'une seigneurie. Les espérances de pouvoir dont elles étaient porteuses attisaient les convoitises. Les candidats au mariage se les disputaient, rivalisant pour s'établir dans leur maison et exploiter leur patrimoine jusqu'à la majorité des fils qu'elles leur donneraient. Aussi étaient-elles mariées, remariées sans relâche aussi longtemps qu'elles étaient capables d'enfanter. Ce destin n'a d'exceptionnel que les deux accidents, le divorce et la rébellion, des événements dont l'intérêt majeur est d'avoir suscité, parce que cette femme était reine et mêlée à la grande politique, la gerbe de commentaires écrits par quoi l'historien découvre un peu de ce qu'était en ce temps-là la condition féminine et qui, d'ordinaire, échappe à son investigation.

Nous savons très peu de choses sur Aliénor : point de portrait, neuf témoignages de quelque abondance, je l'ai dit, pas un de plus, au demeurant fort brefs, et pourtant nous en savons beaucoup plus que de la plupart des femmes de son temps.

Comme toutes les filles, Aliénor, à treize ans, venait tout juste d'atteindre l'âge d'être mariée, et son père choisit l'homme qu'elle n'avait jamais vu à qui elle fut donnée. Celui-ci vint la prendre dans la maison paternelle. Il l'emmena aussitôt chez lui après les noces et, comme c'était l'usage dans les familles pieuses, le mariage ne fut consommé, en cours de route, qu'après un répit dévot de trois jours. Comme toutes les épousées, Aliénor vécut dans l'anxiété de voir se prolonger sa stérilité. Elle fut comme beaucoup renvoyée parce qu'on avait attendu trop longtemps qu'un enfant mâle sortît de son ventre. Puisqu'elle venait d'une province lointaine, puisque son parler et certaines de ses manières surprenaient, elle fut regardée comme une intruse par la parenté de son mari, épiée sans cesse, calomniée. À Antioche, il est certain que son oncle Raymond en fit son jouet sinon sexuel, du moins politique. Il était le seul mâle du lignage. Il détenait donc sur elle le pouvoir d'un père. On peut croire qu'il la poussa à réclamer la séparation pour raison de parenté dans l'intention de la remarier lui-même, en fonction de ses propres intérêts. Dans la promiscuité grouillante des grandes maisons nobles, il ne manquait pas de dames qui succombaient aux assauts du sénéchal de leur époux. À toutes, en tout cas, les écrivains domestiques, pour plaire à ce mari, dédiaient leurs œuvres, les flattaient d'éloges flagorneurs sans être pour cela leur amant. Elles allaient de grossesse en grossesse. Ce qui advint d'Aliénor dès qu'elle entra dans le lit du Plantagenêt. Elle n'avait donné que deux filles à Louis VII, elle en donna trois autres à Henri et cinq garçons. Entre la vingt-neuvième et la trente-quatrième année de son âge, fécondée tous les douze mois, elle mit cinq enfants au monde. La cadence ralentit ensuite. En 1165, Aliénor accoucha du dernier de ses enfants que l'historien connaît, car ils vinrent à terme et, sauf l'un d'eux, ne moururent pas avant la puberté. C'était le dixième. En deux décennies. Elle avait quarante et un ans. Ses capacités de reproduction, comme celles de toutes les dames de son monde, avaient été exploitées à fond. Comme celles-ci, elle s'établit après la ménopause en position de matrone, usant de son ascendant sur ses fils, tyrannisant ses brus, laissant ses intendants administrer son douaire, manigançant le mariage de ses petites-filles — dont Blanche de Castille, qui fut, au siècle suivant, une autre insupportable belle-mère. Comme toutes les veuves de son rang, elle se retira enfin, pour se consacrer à un troisième époux, celui-ci céleste, dans le monastère que sa famille, qu'elle-même durant sa vie, pour se purger de ses fautes, comme après son divorce, avaient comblé de faveurs. C'était Fontevraud. Guillaume le Troubadour, son grand-père, s'en était copieusement moqué, mais il l'avait lui-même, sur le tard, gratifié d'aumônes. Henri s'y trouvait déjà, sous la terre. Elle y avait conduit la dépouille de Richard. Aliénor y repose, dans l'attente du Jugement dernier.

*

Ce que beaucoup pensaient vraiment d'elle en Angleterre apparaît à la manière dont des chroniqueurs ont interprété la mort tragique du roi Henri II, en juillet 1189. Comment Dieu avait-il pu laisser périr un si puissant souverain trahi par tous ses fils légitimes, le laisser porter au tombeau nu, dépouillé de tout par ses serviteurs, accepter qu'il fût enseveli à l'abbaye de Fontevraud qu'il n'avait pas choisie pour sépulture, qu'il avait certes lui aussi enrichie de donations, mais parce qu'il souhaitait de tout son cœur qu'Aliénor y prît le voile pour enfin cesser de lui nuire ? C'est que Dieu, dit Giraud le Cambrien dans le livre qu'il écrivit « pour l'instruction des princes », punissait peut-être l'assassin de Thomas Becket et le descendant de la fée Mélusine, fille de Satan. C'est sûrement qu'il punissait en lui la faute de son épouse. Et d'abord sa bigamie. Bigame, Aliénor l'était incontestablement, personne n'en doutait, et doublement incestueuse. Cousine du Plantagenêt au même degré que du Capétien, ses deux mariages étaient l'un et l'autre coupables. Henri avait prêté la main. Dieu tirait de lui vengeance. Mais il le châtiait surtout pour l'inceste « du deuxième type », ce péché très grave qu'il avait commis sous le charme funeste d'Aliénor, instrument du diable.

Quant à l'image que certains, et sans doute beaucoup, se faisaient de la duchesse d'Aquitaine dans les cours du nord de la France, on en découvre les traits dans la longue et savoureuse chanson dont les dernières années du XIIe siècle virent l'éclatant succès : le *Roman de Renard.* Qui donc, écoutant les mésaventures d'Ysengrin, ne songeait pas aux déboires conjugaux dont le roi Louis VII avait souffert à Antioche et dont on plaisantait encore partout trente ans après, riant du mari « si jaloux qu'il croyait tous les jours être cocu » et dont le tort avait été d'étaler sa disgrâce au grand jour, d'avoir sans vergogne

« honni son épouse », alors que « de ce genre d'affaires, il ne vaut rien de parler ». Qui donc, tout au long de ce récit étincelant et narquois, pouvait ne pas songer à Aliénor elle-même ? À propos de trois femmes, de ces trois dames, Ermeline, Fière, Hersent, dont Renard, « grand fornicateur », allégrement « foula la vendange » ? Ermeline qui, dès qu'elle se croit débarrassée de son homme, s'en va, « étroitement baisant », « accolant par amour » celui dont elle entend faire son nouvel époux, son nouveau seigneur, le jouvenceau qu'elle a choisi parce qu'elle sait déjà qu'il « fait très suavement la chose » ? À propos de la reine, la femme du lion, Madame Fière l'orgueilleuse, dont Renard s'empara nuitamment, alors que, très courroucée contre son mari, elle dormait à l'écart, qui donc ne se rappelait la bonne fortune de Geoffroi Plantagenêt, en visite à la cour de France ? Aliénor n'était-elle pas, elle aussi, encline, méprisant les avis des sages (« Dieu te garde de déshonneur »), à donner son anneau aux garçons dans l'espoir qu'ils viendraient bientôt, « pour l'amour » promis par ce gage, lui « parler privément et sans grande noise » ? Et le poète, exploitant le long retentissement du scandale, ne s'est-il pas ingénié à ce que ses auditeurs reconnaissent la reine Aliénor sous les traits d'Hersent l'adultère, Hersent l'aguichante, l'enjôleuse, reprochant aux galants depuis son lit d'accouchée de trop craindre la colère du mari, de ne pas la visiter autant qu'elle le voudrait dans sa chambre, et, complaisante, se livrant volontiers à tous les plaisirs du jeu ? Hersent, dont ce jeu est comme la raison de vivre et qui laisse là Ysengrin son homme lorsqu'il montre qu'il n'en est plus un : « Puisqu'il ne peut la chose faire, qu'ai-je donc à faire de lui ? » Hersent, la « pute », qui « ayant un mari en prend un autre » ? Bigame.

Quiconque en ce temps entendait parler d'Aliénor pensait au sexe. Le sexe, thème principal du *Renard* dans le plus pétillant de sa critique sociale. Aliénor-Ermeline, Aliénor-Fière, Aliénor-Hersent, cette femme est l'incarnation de la luxure, de la « lècherie ». Elle ne pense qu'à ça, et les hommes au fond s'en accommodent, puisque pour eux la femme est un jouet, d'autant plus attrayante qu'elle est dévorée de désir. L'important : qu'elle respecte les règles du jeu sous lesquelles le sexe se masque. Que tout se passe discrètement, sans éclat, sans violence. Et sans plaintes. Celui qu'on condamne est Louis VII : incapable d'éteindre lui-même les feux de sa moitié, il eut le mauvais goût de se montrer jaloux. Quant à Renard, on lui pardonne parce qu'il aime, et pour son expertise en amour. L'amour courtois évidemment. La dame répond-elle à leurs avances, accepte-t-elle leur « amour », les hommes sont en droit de la poursuivre et de la prendre. Aliénor était la belle excuse. Sa conduite supposée justifiait tous les débordements et que l'on se divertît librement en dépit du mariage. Voici pourquoi sans doute André le Chapelain l'a placée dans son *Traité*, lui aussi burlesque, siégeant au centre d'une cour d'amour, en législatrice imaginaire et risible des préceptes de la courtoisie. Le malheur est que de telles facéties, comme les éloges ampoulés des troubadours, on les ait prises, qu'on les prenne aujourd'hui encore au sérieux. Célébrer les vertus d'Aliénor ? Rire ou s'indigner de ses défauts ? Quant à moi, j'inclinerais plutôt à la plaindre.

Marie-Madeleine

Au milieu du XIIe siècle, un petit livre fut écrit à l'usage des pèlerins de Saint-Jacques-de-Compostelle. Il tient de ces brochures touristiques que l'on distribue de nos jours dans les agences de voyages : le long de quatre itinéraires qui traversent le royaume de France et se rejoignent au passage des Pyrénées, il indique les sanctuaires qui méritent un arrêt, voire un détour, car d'autres saints y reposent, aussi puissants ou presque que l'apôtre Jacques, ce dont témoignent les miracles qui se produisent près de leur sépulture. Parmi ces guérisseurs, ces protecteurs, deux femmes, sainte Foy et sainte Marie-Madeleine. La première est à Conques, l'autre à Vézelay.

Sur le réseau des déambulations dévotes, Vézelay est alors un point très fort. L'un des quatre « chemins de Saint-Jacques » en part et saint Bernard choisit ce lieu très fréquenté pour y prêcher la seconde croisade dans les décennies mêmes où fut rédigé le *Guide du pèlerin*. Celui-ci vante brièvement les attraits de l'endroit. On y voit, dit-il, « une basilique grandiose et très belle » – c'est celle dont la construction s'achevait et qui nous émerveille. Des festivités somptueuses s'y déploient le 22 juillet, car en ce lieu se trouve « le très saint corps de la bienheureuse Marie-Madeleine », de « cette glorieuse Marie qui [...] arrosa de ses larmes les pieds du Seigneur [...], et pour cela ses nombreux péchés lui furent pardonnés parce qu'elle a beaucoup aimé celui qui aime tous les hommes, Jésus, son rédempteur ». Entre autres bienfaits, la sainte rend la vue aux aveugles, la parole aux muets, le mouvement aux perclus, le calme aux énergumènes – ce sont là les miracles que le Christ avait accomplis lui-même. Enfin et surtout, « pour l'amour d'elle, le Seigneur remet leurs fautes aux pécheurs ». Tout est là : les guérisons, le péché, l'amour, les larmes, le rachat. De quoi expliquer l'éclatant succès d'un pèlerinage, alors l'un des plus courus d'Occident, le concours de peuples, l'enrichissement de la communauté monastique, l'admirable église. De quoi expliquer aussi la présence insistante dans l'imaginaire collectif d'une figure de femme, celle de l'amante de Dieu, de la pardonnée, dont une active publicité conjointe aux récits des pèlerins entretenait de toutes parts la renommée. Au XIIe siècle, Marie-Madeleine est vivante, présente. Autant qu'Aliénor. Et comme sur le corps de celle-ci, sur son corps imaginé se projettent les craintes et les désirs des hommes.

*

Beaucoup de femmes paraissent dans le récit évangélique. Mentionnée à dix-huit reprises, la Madeleine est de toutes la mieux visible, celle dont les attitudes, les sentiments sont décrits avec le plus de précision, beaucoup moins effacée, abstraite, beaucoup plus dégagée du légendaire que l'autre Marie, la Mère de Dieu. « Marie, surnommée la Magdelaine, de laquelle, dit Luc, étaient sortis sept démons » a servi Jésus en Galilée. Avec quelques compagnes qu'il avait guéries comme elle de l'esprit malin ou de maladie, elle l'a suivi à Jérusalem et escorté jusqu'au Golgotha. De loin ces suivantes attentives ont assisté à la mise en croix. Puis, lorsque le corps du Crucifié en fut descendu, mis au tombeau, elles songèrent à l'oindre d'aromates. C'était alors la tâche des femmes que de soigner le corps des morts. Ça l'était encore au xıı^e siècle. Elles durent attendre cependant la fin du sabbat pour acheter les parfums. Le matin de Pâques, au soleil levant, elles retournèrent au sépulcre, elles le virent ouvert, la pierre roulée. Effrayées, elles s'enfuirent, prévinrent les Apôtres. Pierre et Jean accoururent. Marie de Magdala avec eux. Ils constatèrent que le corps n'était plus là et s'en allèrent.

Marie seule demeura, sanglotant, au seuil de la tombe. « Pourquoi pleures-tu ? » lui demandèrent deux anges. « On a enlevé mon Seigneur et je ne sais pas où on l'a mis. » Disant cela, elle se retourne, voit un homme qu'elle prend pour le jardinier. Lorsqu'il l'appelle par son nom, Marie, elle reconnaît en lui Jésus. Elle veut le retenir. Il l'en empêche et lui ordonne d'annoncer à ses disciples la Résurrection. De la Résurrection, la Madeleine fut le premier témoin, donc l'apôtre des Apôtres.

Les Évangiles évoquent deux autres femmes que l'on peut confondre avec la Madeleine. L'une, anonyme, est « une pécheresse de la cité », c'est-à-dire une fille publique, une prostituée. Luc la montre dans la maison d'un pharisien en Galilée, où Jésus prenait son repas. « Se plaçant en arrière, tout en pleurs, à ses pieds, elle se mit à lui arroser les pieds de ses larmes puis à les essuyer avec ses cheveux, à les couvrir de baisers, à les oindre d'un parfum qu'elle avait apporté. » Si cet homme était un prophète, dit alors le pharisien, il saurait ce qu'est cette traînée. Jésus répondit : « Ses péchés lui sont remis car elle a beaucoup aimé. » C'est ce passage que l'auteur du guide a résumé. Toutefois, il place la scène ailleurs, non plus en Galilée mais en Judée, à Béthanie, juste avant la Passion, dans la maison de Simon le Lépreux. La confusion est excusable puisque Marc et Matthieu situent dans cette maison un épisode très semblable : Jésus est à table ; une femme survient « avec un flacon d'albâtre, contenant un nard très précieux ; brisant le flacon, elle lui versa le parfum sur la tête ». À Judas l'Iscariote qui s'indignait, disant qu'il eût mieux valu donner l'argent aux pauvres, Jésus réplique : « Laissez-là. D'avance elle a parfumé mon corps pour l'ensevelissement. » Jean l'Évangéliste, qui rapporte lui aussi cet événement, précise que la porteuse de parfum s'appelait Marie. C'était la sœur de Marthe et de Lazare, amis intimes du Nazaréen, aux pieds duquel Luc la montre assise, buvant ses paroles, tandis que Marthe s'affaire à la cuisine et grommelle.

Trois personnages donc, distincts. Toutefois, ces femmes ont toutes trois versé, ou se sont apprêtées à verser, un parfum sur le corps de Jésus vivant (ou de Jésus mort, mais c'est le même, il le dit). Toutes trois sont montrées prosternées devant le maître, agenouillées, dans une posture de contemplation, d'adoration amoureuse. Au vi^e siècle, le pape Grégoire le Grand s'est donc cru en droit d'affirmer dans ses Homélies et notamment dans la XXXIIIe que « la femme désignée par Luc comme la pécheresse, nommée Marie par Jean est celle-là même dont Marc atteste qu'elle fut libérée des sept démons ». Durant tout le Moyen Âge, rarissimes furent ceux qui hésitèrent à accepter cette proposition.

En chrétienté latine au moins. La grecque, en effet,

43

continua de distinguer des deux autres Marie la Magdaléenne. Elle célébrait sa fête le 22 juillet et vénérait son tombeau à Éphèse. Depuis la Méditerranée orientale, par l'Italie du Sud, le culte de la sainte se répandit en Occident et d'abord en Angleterre. Au VIIIe siècle, les plus anciennes traces en apparaissent dans ce pays, étroitement lié à Rome depuis sa récente évangélisation et, par là, aux sources byzantines. Ses monastères bénédictins étaient alors aux avant-postes de la recherche spirituelle et les missionnaires sortis de ces abbayes transportèrent sur le continent les germes de la dévotion magdalénienne. En retour, ce fut sans doute dans les grands monastères francs, notamment à Saint-Benoît-sur-Loire, alors atelier fécond d'innovations liturgiques, que prit forme, partant des lectures de l'office nocturne du dimanche de Pâques, un jeu scénique dont Dunstan, archevêque de Canterbury, a décrit la mise en scène à la fin du Xe siècle. Dans cette ébauche de dramaturgie sacrée, la Madeleine devient présente, physiquement, à l'intérieur de l'église. Sur l'autel, une croix enveloppée d'un voile, figurant le Christ mort, a été, le Vendredi saint, déposée sur l'autel dans un reliquaire, simulacre du Saint-Sépulcre. On l'a ôtée durant la nuit du samedi, ne laissant que le voile, c'est-à-dire le linceul. Au début de la messe pascale, un moine, revêtu comme l'ange d'une aube blanche, s'est installé à droite du tombeau ; trois autres moines, mimant les gestes des saintes femmes, s'avancent ; entre eux et leur comparse, quelques paroles sont échangées, celles de l'Évangile de Marc : « Qui cherchez-vous ? — Jésus le Nazaréen. — Il n'est pas ici, il est ressuscité. » Nous sommes là aux lointaines origines de notre théâtre. Car, et c'est là l'important, ce dialogue prit peu à peu de l'ampleur, en même temps que s'enrichissaient les liturgies de Pâques et le personnage de Marie-Madeleine se dégagea du groupe des saintes femmes. Dans un manuscrit de Tours contemporain du guide de Saint-Jacques, la Madeleine occupe maintenant le centre de la scène. Elle s'approche seule de la tombe ouverte, elle crie sa douleur, elle tombe en pâmoison au terme d'une longue déploration amoureuse, et ses compagnes viennent la relever : « Chère sœur, il y a trop d'affliction dans ton âme... » En ce milieu du xiie siècle, il est probable que le spectacle est déjà sorti du cloître, devenu public. Longtemps cependant, il était resté confiné dans le milieu monastique où, ne l'oublions pas, c'était un homme qui tenait le rôle de l'amie du Seigneur.

*

D'un monastère d'hommes provient aussi le plus ancien des textes composés, par un homme, pour être lu le 22 juillet, jour de célébration de la sainte, devant des hommes. Traditionnellement, ce « sermon pour vénérer Marie-Madeleine » est attribué à Eudes, abbé de Cluny au début du Xe siècle. En fait, on n'en connaît ni l'auteur ni la date, et l'hypothèse la plus sûre est qu'il fut élaboré un siècle plus tard en Bourgogne. C'est un commentaire du texte évangélique conduit selon les procédés déductifs qu'employaient les savants dans l'abbaye de Saint-Germain d'Auxerre à la fin de l'époque carolingienne. Il entend dégager le sens des mots, leurs multiples sens, afin de tirer de l'Écriture une leçon morale. Nous entrevoyons à travers lui l'image qu'aux environs de l'an mille un moine se faisait d'une personne féminine dont il présentait la figure à d'autres moines pour leur enseignement spirituel.

C'est bien d'une femme, en effet, qu'il s'agit. C'est en tant que femme − *mulier*, le mot revient sans cesse − que Madeleine est célébrée. Mais quel genre de femme ? La pécheresse ? Non pas. L'auteur inconnu du sermon la voit sous l'aspect d'une dame, une femme qui a vécu, qui en est venue à se détacher des choses de la terre pour s'approcher de celles du ciel. Cette femme est fortunée, généreuse, « largissime », parce qu'elle est de bonne race, « clarissime », et dispose librement de ses biens propres. Les traits que lui prête ce religieux, lui-même issu de l'aristocratie la plus haute, sont ceux des femmes qui ont entouré son enfance, ceux de ces princesses veuves −

telle Adélaïde, épouse et mère d'empereurs, dont l'abbé de Cluny Odilon composa à ce moment l'épitaphe –, de ces douairières qui soutenaient alors de tout leur pouvoir l'institution monastique, les seules femmes que les moines fréquentaient sans rougir. Dépouillées par l'âge des charmes inquiétants de la féminité, elles avaient naguère partagé le lit d'un homme, connu le plaisir, donc péché. Retirées, elles pleuraient leurs fautes. L'auteur du sermon fait état de ces pleurs de femmes (encore que la liaison entre pleurs, péchés et rémission soit mise en plus nette évidence lorsqu'il parle de Lazare, figure ici de la Résurrection). Car pour lui la Madeleine est coupable, certes, mais elle l'est comme chacun d'entre nous. Pécher est le sort du genre humain. Sans la citation de l'Évangile, qui penserait à une prostituée ? Discrétion. Elle donne à penser que l'obsession de la souillure sexuelle, que l'inquiétude devant la femme épargnaient quelque peu ces hommes, offerts tout enfants au monastère, qui n'en étaient jamais sortis, demeurés vierges par conséquent, ces « agneaux immaculés » dont Dominique Iogna Prat a décrit l'idéal et la volonté de puissance.

Ainsi la nature féminine n'est-elle pas définie dans ce texte par l'inclination à la luxure, mais par deux autres caractères. Premier trait, la faiblesse, la timidité. Ce qui permet de montrer Marie-Madeleine en exemple aux mâles. Cette faiblesse, cette crainte, femme, ne les a-t-elle pas dominées ? Elle est seule restée devant la tombe ouverte. Second trait, essentiel, l'amour, l'« ardeur ferventissime de l'amour », et cette effervescence de la féminité est ici présentée comme une vertu majeure. Sur elle prennent assise la constance, la persévérance de la sainte. Madeleine pleure, mais ce n'est pas de remords, elle pleure de désir, insatisfait. Désir de cet homme « que, vivant, elle aimait trop d'amour ». Se jeter aux pieds de Jésus est un geste d'amante, non pas de pénitente. Enflammée d'amour pour son maître, Marie est partie vers le sépulcre. Le trouvant vide, elle a persévéré. Parce qu'elle n'a pas cessé de chercher, d'attendre dans les ténèbres, surmontant sa peur et ses doutes, elle a mérité de voir. Oui, nous autres hommes, nous devons devenir femmes, cultiver en nous ce qu'il y a de féminin pour aimer pleinement, comme il le faut.

Par là s'amorce dans cet écrit monastique comme une réhabilitation de la féminité, en hommage peut-être à ces nobles veuves à qui les moines allaient répétant qu'elles étaient capables, mieux que leur époux défunt, de toucher Dieu. Pour avoir aimé, attendu, espéré, une femme a mérité en dépit de ses faiblesses – ici se démasque la condescendance masculine, l'invincible fierté d'être un homme –, elle a mérité d'annoncer aux Apôtres le miracle. Honneur insigne, qui, dit le sermon, fait resplendir « la très clémente bienveillance du Seigneur à l'égard de la gent féminine». La mort est entrée en ce monde par une femme, Ève. Certes, une autre femme, Marie, mère de Dieu, a rouvert les portes du paradis. Or, voici qu'entre ces deux femmes, à mi-chemin, se tient, accessible, elle, imitable, pécheresse comme toutes les femmes, la Madeleine. Riche, bienfaisante, nourricière, Dieu a voulu que sa victoire sur la mort fût annoncée par elle. À cause d'elle, par la volonté divine, « l'opprobre qui pesait sur le sexe féminin a été levé».

En ce temps, la pensée savante procédait par rebonds, de mot en mot, d'image en image. Sur cette figure de femme, d'autres figures donc, celle de la communauté monastique, celle de l'institution ecclésiale tout entière viennent naturellement se refléter, et c'est en insistant sur ces reflets que l'homélie développe son enseignement. Elle met en premier lieu l'accent sur un geste plus éloquent que toute parole − la pécheresse, prosternée, dans la maison du pharisien, n'a pas ouvert la bouche : l'agenouillement. Cette posture d'humiliation, de remise de soi, de dilection aussi, prenait place à l'époque au cœur des rites de passage manifestant la conversion, la mutation d'une existence. Rite du mariage ; la fiancée s'agenouillait devant son époux, devant l'homme qu'elle appellerait désormais son seigneur. Rite de l'engagement vassalique : le vassal s'agenouillait devant celui qui le recevait pour son homme. Rite enfin de la profession monastique telle que la décrivent les coutumiers clunisiens. Ce geste imposait d'obéir, il imposait de servir. Comme la nouvelle mariée, comme le nouveau vassal, comme le moine au terme de son noviciat, la Madeleine changeait de vie, elle renaissait véritablement. S'agenouillant, elle exprimait sa volonté d'entrer, « non seulement en esprit, mais corporellement », en service, et elle était effectivement « acceptée », reçue, incorporée à la maison d'un maître, à sa *familia*, à l'équipe de ses serviteurs, de ses protégés, de ceux dont il attendait l'obéissance et qu'il nourrissait de ses grâces. Par ce geste, l'image de Marie-Madeleine invitait les hommes qui écoutaient le sermon à s'abandonner à la disposition du Seigneur pour le servir, et magnifiquement, comme elle fit.

En ce point, ce texte apparaît dirigé contre les contestataires qui foisonnaient aux approches de l'an mille et que l'on pourchassait pour hérésie. Contre les plus inquiétants d'entre eux cette figure féminine affirme la vérité de l'Incarnation et de la Rédemption. Contre eux tous, elle affirme en outre qu'il n'est pas mauvais qu'un monastère soit riche, puisque Marie de Magdala l'était. Le mot *Magdala* signifie tour, château, évoque des architectures dominantes, soigneusement construites en belles pierres ajustées, tels ces clochers-porches dont en ce temps on décidait, à

Saint-Benoît-sur-Loire, à Saint-Germain-des-Prés, la construction. La Madeleine avait entretenu de ses dons des hommes qui ne possédaient rien, Jésus et ses disciples. Prodigue, elle avait dépensé sans compter, gaspillant le parfum très précieux devant Judas courroucé. Les hérétiques sont des Judas lorsqu'ils condamnent l'opulence de l'Église. Verser le nard, c'est bâtir, décorer, s'appliquer à couvrir la chrétienté d'une robe blanche de basiliques nouvelles. Les moines d'alors se sentaient tenus, comme l'avaient fait Marthe et Marie dans la maison de leur frère Lazare, d'accueillir « les nobles et les puissants dans la dignité de la pompe séculière ». Marie-Madeleine les justifiait.

Enfin, de même que les effluves du parfum se sont répandus depuis la table du repas jusqu'à remplir entièrement la demeure de Simon, de même, depuis le monastère, les exigences de soumission, de service et d'amour doivent s'étendre à toute l'Église. Si les moines suivent l'exemple de l'amie du Nazaréen, ils montreront à leur tour l'exemple aux clercs, aux membres de l'Église séculière. Celle-ci est coupable en effet, celle-ci doit elle aussi s'agenouiller, se convertir, renoncer solennellement à la vie ancienne, immonde. Composé en vénération de Marie-Madeleine, le sermon appelait à la réforme générale de l'institution ecclésiastique. Or, au seuil du xıᵉ siècle, cette réforme était en cours. Sous l'impulsion de la papauté, elle s'accélérait. La Madeleine en devint naturellement l'une des figures emblématiques. Lorsque les réformateurs instituèrent deux communautés de chanoines, modèles pour les clercs de vie régulière et pure, l'une en Lorraine, à Verdun, en 1023, l'autre en Bourgogne, à Besançon, en 1048, ils placèrent l'une et l'autre sous le vocable de la Madeleine. À ce moment, se répandait le bruit que son corps reposait non loin de là, à Vézelay.

*

Fondant vers 860 cette abbaye, Girard de Roussillon ne l'avait pourtant dédiée qu'au Christ, à la Vierge et à saint Pierre. Aucun indice ne permet de penser que les moines de Vézelay aient jusque-là prétendu conserver la moindre parcelle des restes de la Madeleine. Brusquement, un texte composé entre 1037 et 1043 affirme contre les détracteurs que ces restes sont là, que des apparitions nombreuses et toutes les merveilles qui se produisent sur le sépulcre le prouvent, enfin que les pèlerins affluent déjà de toute la Gaule en quête de miracles. Sans nul doute, c'est dans le second quart du xie siècle que les reliques furent « inventées », comme on disait alors, c'est-à-dire découvertes.

À cette époque, tout le monde était convaincu que les saints demeurent présents sur la terre, et puissants, dans ce qui subsiste de leur corps. Chacun tenait ces débris pour les agents les plus efficaces de la très nécessaire liaison entre les vivants et la cour céleste où le Tout-Puissant trône et juge. On voyait ces corps saints en ce temps de toutes parts sortir de terre. Le chroniqueur Raoul Glaber, homme très averti qui écrivait alors en Bourgogne, dénonce bien les fabriquants de fausses reliques. Il n'en célèbre pas moins cette éclosion bénéfique comme l'une des manifestations les plus convaincantes de la générosité de Dieu, enfin réconcilié avec son peuple après les calamités du millénaire de la Passion. Cependant, à cette époque aussi — et c'était la nouveauté —, l'attention des dirigeants de l'Église commençait de se tourner résolument vers les textes du Nouveau Testament. Sans doute encourageaient-ils toujours à vénérer les saints locaux, les martyrs de Rome, les premiers évangélisateurs et ces protecteurs qui, auprès des fontaines sacrées, s'étaient jadis substitués aux divinités tutélaires des temps pré-chrétiens. Mais ils orientaient maintenant la dévotion des fidèles vers les personnages qui peuplent les récits des Évangiles et des Actes des Apôtres. Or, du corps de ces saints-là, la chrétienté latine ne possédait presque rien. C'est d'ailleurs cette pénurie, conjointe au souci nouveau de se relier, si je puis dire, corporellement, aux temps apostoliques par l'entremise de ceux qui avaient vu, écouté, suivi Jésus vivant, qui faisait le succès des pèlerinages de Rome et de Compostelle : avec saint Pierre, saint Jacques était le seul des douze Apôtres qui fût enseveli dans l'Europe de l'Ouest. Cette pénurie incitait également les hommes de science à tenter de rapprocher de la personne du Christ tel ou tel des saints dont les restes reposaient depuis des siècles dans les reliquaires de Gaule, à prouver à toute force par exemple que Martial de Limoges, protecteur de l'Aquitaine, avait été sinon un apôtre, du moins l'un des premiers disciples, ou que le Denis de Montmartre, confondu avec Denys l'Aréopagite, avait reçu directement l'enseignement de saint Paul. On comprend donc que les princes aient fêté comme un munificent don du ciel l'invention du chef de saint Jean-Baptiste à Saint-Jean-d'Angély. On s'explique l'invention, au même moment, des reliques de Marie-Madeleine à Vézelay, et, du coup, des reliques de son frère Lazare à Autun.

Dans le cas de Vézelay et de la Madeleine intervint de manière décisive l'entreprise de réforme. En 1037, un nouvel abbé est élu, Geoffroi. Il veut aussitôt, s'inspirant des usages de Cluny, mettre de l'ordre dans le vieux monastère où les mœurs se sont dégradées. Afin que la restauration soit solide, il faut que l'abbaye soit prospère, donc qu'on l'admire et qu'on lui voue cette reconnaissance qui fait affluer les aumônes. Il faut, par conséquent, qu'elle abrite des reliques insignes et efficientes. En bon gestionnaire,

Geoffroi ordonne de rédiger un recueil de miracles – c'est le texte dont je viens de parler – afin de lancer le pèlerinage. L'inventeur des reliques, c'est lui. Mais pourquoi, alors qu'à Cluny qu'il prend pour modèle et qui soutient son action rien ne montre que la Madeleine ait été jusqu'alors l'objet d'une vénération particulière, pourquoi Geoffroi a-t-il reconnu dans l'un des sarcophages à l'épitaphe mal visible qu'abritait son abbaye celui de cette sainte plutôt que d'un autre fameux thaumaturge ? Peut-être parce que le renom de la servante du Seigneur commençait de grandir en Occident, mais surtout parce qu'elle était devenue dans la région la patronne de la réforme générale. Geoffroi, en effet, et c'est pour cela qu'il avait été désigné, était un ardent réformateur. Il fut l'un des promoteurs de la trêve de Dieu en Bourgogne. En 1049, l'année où l'église de la Madeleine de Verdun et celle de Besançon furent consacrées par le pape Léon IX, on le voit à Reims aux côtés de ce pontife dans un concile dont le propos était, déposant les prélats fornicateurs, condamnant les princes incestueux et bigames, de réprimer au sommet de l'édifice social les péchés et, spécialement, les péchés sexuels. L'année suivante, Geoffroi est à Rome pour une réunion semblable, et dans la bulle dont il obtient la délivrance, le 27 avril, en faveur de son monastère, la formule habituelle est modifiée de manière à préciser que Vézelay est dédié au Christ toujours, à la Vierge toujours, aux saints Pierre et Paul toujours, mais aussi à sainte Marie-Madeleine. Huit ans plus tard, nouvelle bulle : celle-ci confirme solennellement que Marie-Madeleine « repose » bien à Vézelay. En 1108 enfin, dans le privilège accordé à ce monastère par le pape Pascal II, les anciens patrons sont oubliés, ne figure plus que la Madeleine. Le succès du pèlerinage est maintenant éclatant. Il a provoqué dans toute la chrétienté latine l'« explosion », comme disent volontiers les historiens, du culte de la sainte.

Pour célébrer dignement ce culte, il fallait un ensemble de « légendes », au sens premier du mot, c'est-à-dire de textes destinés à être lus durant les offices. Au sermon dont j'ai tout à l'heure analysé la substance, trois récits s'adjoignirent. Ils viennent en complément du récit évangélique, répondant à deux questions : qu'était-il advenu de Marie-Madeleine entre le moment où le Christ ressuscité lui était apparu et celui de sa propre mort ? « Comment pouvait-il se faire (et beaucoup, avoue le recueil de miracles, se le demandaient) que le corps de la bienheureuse, dont la patrie est en Judée, ait été transporté en Gaule depuis une région si lointaine ? » Pour répondre à la première question que déjà se posaient les pèlerins d'Éphèse, un récit, la vie dite érémitique, avait été élaboré en Orient, s'inspirant de la biographie d'une prostituée repentie, une autre

Marie, l'Égyptienne, l'une de ces femmes grillées, noircies, couvertes de poils que les solitaires de la Thébaïde imaginaient purgeant comme eux leurs fautes au désert. Le voici tel qu'on le lisait dans les communautés d'anachorètes d'Italie du Sud et tel que, depuis là, il était parvenu dès le vɪɪɪᵉ siècle dans les monastères anglais. « Après l'ascension du Sauveur, mue par une affection brûlante pour le Seigneur et par le chagrin qu'elle éprouvait après sa mort », la Madeleine « ne voulut plus jamais voir un homme ni un être humain de ses yeux » ; elle « se retira trente années durant au désert, inconnue de quiconque, ne mangeant jamais de nourriture humaine ni ne buvant. À chacune des heures canoniales, les anges du Seigneur venaient du ciel et la conduisaient avec eux dans l'air afin qu'elle priât en leur compagnie ». Un jour, un prêtre aperçut des anges qui voltigeaient au-dessus d'une caverne close. Il s'en approcha, appela. Sans se montrer, la Madeleine se fit connaître et lui expliqua le miracle. Elle lui demanda de lui apporter des vêtements car « elle ne pouvait paraître nue parmi les hommes ». Il revint, la mena dans l'église où il célébrait la messe. Elle y expira, après avoir communié au corps et au sang de Jésus-Christ. « Par ses saints mérites, de grandes merveilles se produisaient près de son sépulcre. »

À l'époque où Geoffroi s'acharnait à faire admettre que ce sépulcre se trouvait dans l'abbaye dont il avait la charge, une autre vie de Marie-Madeleine circulait, celle que les historiens appellent apostolique. Elle prétendait que la Madeleine, après la Pentecôte, avait pris la mer en compagnie de Maximin, l'un des soixante-douze disciples. Débarquant à Marseille, ils se mirent, prêchant l'un et l'autre, à évangéliser le pays d'Aix. Marie-Madeleine morte, Maximin lui fit de belles funérailles et plaça son corps dans un sarcophage de marbre qui montrait, sculptée sur l'une de ses faces, la scène du repas chez Simon. Il était possible de conjuguer cette seconde légende à la première, en plaçant le désert dont parle celle-ci dans les montagnes provençales, à la Sainte-Baume. Cependant, ce second texte dérangeait les moines bourguignons. Il situait le tombeau près d'Aix où, de fait, l'épanouissement du culte de la Madeleine est attesté avant le début du XIIe siècle et où peut-être se développait déjà un pèlerinage concurrent. Pour fermer la bouche de ceux qui refusaient de voir en eux les vrais gardiens des reliques, ils fabriquèrent un récit – c'est la troisième légende – racontant qu'un religieux, sur l'ordre de Girard de Roussillon et du premier abbé, était allé les dérober trois siècles plus tôt dans la Provence alors ravagée par les Sarrasins.

Ces compléments légendaires apportaient de quoi soutenir plus solidement l'initiative des réformateurs. L'exemple de la Madeleine au désert encourageait en particulier l'Église séculière, celle qu'il fallait maintenant assainir, à s'écarter davantage du monde charnel, à l'oublier, à oublier elle aussi son corps de manière à rejoindre le chœur des anges en posture de contemplation amoureuse, afin de mieux remplir sa mission d'enseignement. Un détail du second récit insistait d'ailleurs sur la nécessité de se purifier : à l'intérieur de la basilique construite par Maximin sur le mausolée, aucun roi, aucun prince ne pouvait pénétrer s'il ne s'était d'abord dépouillé de son harnois militaire et de ses intentions belliqueuses. Quant aux femmes, l'accès leur en restait strictement interdit – exclusion, notons-le, qui, à elle seule, empêcherait de supposer que l'essor du culte magdalénien ait quelque chose à voir avec une quelconque promotion de la condition féminine. Ni armes donc, c'est-à-dire le sang versé, ni femmes, c'est-à-dire les débordements du sexe, ce sont là les deux souillures majeures dont le pape Léon IX, Geoffroi de Vézelay et ses amis, prêchant la paix de Dieu, interdisant l'inceste et la bigamie, entendaient alors libérer les grands de ce monde, ecclésiastiques et laïques. Toutefois, pas plus que le sermon du xe-xie siècle, ces légendes n'insistent sur le péché, sur le rachat. Elles ne disent pas que Marie de Magdala s'est retirée dans la solitude pour y pleurer ses fautes et se mortifier. C'est l'attachement passionné et c'est le chagrin qui l'y ont entraînée dans le souvenir brûlant de l'amant perdu. Elles aussi mettent au premier plan l'amour, l'amour ardent, extasié.

*

Or, quelques décennies plus tard, au début du XIIᵉ siècle, dans le sermon qu'un autre Geoffroi, celui-ci abbé du grand monastère de la Trinité de Vendôme, composa à l'intention des hommes soumis à son autorité, les traits soulignés sont tout autres. Voici ce que je retiens du texte de cette homélie.

1. Elle est fondée presque tout entière sur la scène, décrite dans l'Évangile de Luc, du repas chez le pharisien.

2. Prenant parti dans un débat très actuel et très vif, Geoffroi condamne le pharisien qui voulait chasser la pécheresse, « homme sans merci, dit-il, qui méprisait les femmes, qui les jugeait écartées du salut et qui n'acceptait pas d'être touché par elles ».

3. La Madeleine, dit Geoffroi de Vendôme, fut d'abord « pécheresse fameuse, puis glorieuse prédicatrice ». Suivant de près le texte de la vie dite apostolique, il la montre « prêchant assidûment Notre-Seigneur Jésus-Christ, Dieu vrai, et témoignant de la vérité de sa résurrection ». Précisant cependant que la sainte portait témoignage « plutôt par des larmes que par des paroles ».

4. Dernier point, capital : la femme que Geoffroi

montre en exemple est avant tout celle qui fut la
proie de sept démons, c'est-à-dire de la totalité des
vices. Pécheresse – le mot revient quatorze fois dans
ce court texte –, *peccatrix*, mais aussi *accusatrix*,
consciente de ses fautes et les avouant, effondrée aux
pieds du maître. Pardonnée, certes, mais en raison
de l'excès, non point ici de son amour, sur quoi
Geoffroi n'insiste guère, mais de sa crainte et de son
espérance. En outre, abandonnée, soumise comme
doivent l'être toujours les femmes, Marie-Madeleine
ne fut pourtant pleinement rachetée qu'après avoir
fait pénitence. Interprétant à sa façon la vie érémitique, Geoffroi prétend que, après l'Ascension, elle
s'est acharnée sur son propre corps, le châtiant par
les jeûnes, les veilles, les prières ininterrompues. Par
l'effet de cette violence volontaire, Marie-Madeleine,
«victime», et «victime obstinée», s'est établie au
seuil du salut «portière du ciel». *Hostia, ostiaria*,
les deux mots latins se font écho : c'est ainsi, je l'ai
dit, par des jeux d'assonances, que cheminaient en
ce temps les déductions des doctes.

On doit cependant remarquer que, dans deux
autres écrits de Geoffroi de Vendôme, un sermon,
une lettre adressée à l'évêque du Mans, Hildebert
de Lavardin, la même allégorie, celle de la portière,
prend place, et c'est encore le *sexus femineus* qui tient
ce rôle. Mais la porte qu'il ouvre est ici celle de la
faute, celle de la chute. La femme, toutes les femmes,

la servante du grand prêtre devant qui saint Pierre renia Jésus, Ève au paradis poussant Adam à désobéir, sont les instruments du diable. Par elles, la damnation s'introduit en ce monde. Imprégnée de péché comme elles toutes, Marie de Magdala, pour devenir l'espoir de tous les pécheurs, pour prendre place à la porte du ciel et non plus de l'enfer, a dû détruire entièrement, consumer dans les macérations, la part féminine de son être. En ce point précis, se situe l'inflexion nouvelle.

Pour l'expliquer, pour comprendre que l'éclairage se soit modifié au point de substituer à l'image d'une femme riche, puissante, emportée par sa passion jusqu'à s'asservir à celui qu'elle aime, à s'abîmer dans le chagrin quand elle le croit disparu, puis s'en aller proclamant de toutes parts qu'il a triomphé de la mort, l'image d'un être porteur de mal, ravagé par le remords, accablant son corps de sévices, il faut considérer ce qui s'est produit dans la chrétienté latine entre 1075 et 1125, cet événement capital qu'est le succès de la réforme ecclésiastique. Purifier l'Église séculière après la monastique, lui imposer la morale des moines aboutissait, en effet, à répartir les hommes – je dis bien les hommes – en deux catégories, d'un côté ceux à qui l'usage des femmes est rigoureusement interdit, de l'autre ceux qui doivent en posséder une, mais une seule et légitime, et qui, pour cela forcément souillés, se situent dans la hiérarchie des mérites au-dessous des asexués et, par conséquent, soumis à leur pouvoir. Une telle ségrégation a marqué d'un trait encore ineffacé la culture de l'Europe occidentale, enfouissant pour des siècles au fond des consciences l'idée que la source du péché, c'est en premier lieu le sexe. En 1100, la réforme, de ce fait, venait buter contre un obstacle majeur, la femme. C'était la pierre d'achoppement.

Car, d'abord, les hommes qui, sous la conduite du pape, poursuivaient l'entreprise d'épuration, les évêques, les bons évêques que l'on avait établis après avoir chassé les dépravés impénitents, étaient souvent, tel Hildebert de Lavardin, l'ami de Geoffroi de Vendôme, d'anciens fornicateurs assagis. Ils savaient ce que sont les « voluptés » qu'il importait d'éteindre. Ils avaient dû, malaisément, se réformer eux-mêmes. Ils peinaient à se libérer tout à fait de leur propre culpabilité, et le souvenir peut-être des *meretriculae tabernae*, des « petites putains de bar » de leur jeunesse, hantait-il encore parfois leur esprit. Les femmes, instinctivement, ils tendaient à les tenir pour des prostituées, réelles ou virtuelles. D'où les métaphores obsédantes qui viennent sous la plume des grands lettrés du Val de Loire, dont Jacques Dalarun a pertinemment analysé les écrits, lorsqu'ils parlent des femmes : un ventre, vorace, une chimère, un monstre. La faute réside dans ce qu'ils sentent résister en leur corps de féminin, c'est-à-dire d'animal. Ces prélats, d'autre part, se trouvaient dans leur fonction pastorale sans cesse confrontés aux problèmes que posaient concrètement les femmes. La prostitution florissait dans les villes en pleine expansion, envahies de migrants déracinés. Il y avait surtout ces femmes sans hommes que la réforme même avait jetées sur le pavé, les épouses que leur mari avait été contraint d'abandonner parce qu'il était prêtre, ou bien laïc, parce qu'il était bigame, incestueux. Femmes pitoyables. Dangereuses aussi, menaçant de corrompre les hommes, de les porter à trébucher. Quelle place leur faire dans le projet réformiste d'une société parfaite ? Beaucoup, dont Geoffroi de Vendôme, son jugement sur le pharisien le montre, étaient convaincus qu'il fallait s'occuper de leur âme, les admettre comme elles l'étaient dans les cercles hérétiques, élaborer donc à leur intention une pastorale appropriée, périlleuse, mais indispensable. Jusqu'où pouvait-on aller ? Robert d'Arbrissel, lorsqu'il les accueillait dans sa bande, les entraînant à sa suite comme Jésus l'avait fait, lorsqu'il les plaçait dans le monastère mixte de Fontevraud en position dominante à l'égard des moines, enjoignant à ceux-ci de s'abaisser à les servir, de s'imposer cette humiliation afin de gagner l'amour du Christ, leur époux, de même que le chevalier qui sert courtoisement la dame espère gagner l'amour du mari son seigneur, Robert d'Arbrissel ne s'aventurait-il pas trop loin ? Et même Abélard lorsqu'il affirmait que les prières de femmes au Paraclet valaient celles des hommes ? Abélard que Bernard de Clairvaux vitupérait, l'accusant de trop « parler aux femmes » ? Tant d'imprécations lancées contre ceux des gens d'Église qui s'approchaient de trop près des femmes, et dont on supposait qu'ils ne pouvaient échapper au péché, attestent l'ampleur du malaise, la force des réticences, la peur irrépressible de la souillure sexuelle. Combien de prélats continuaient-ils de penser qu'il est bon de contenir les femmes à distance du sacré, de leur interdire l'accès de certains sanctuaires ? De celui de Menat, par exemple, en Auvergne, que Robert d'Arbrissel finit par leur faire ouvrir, répétant à tue-tête que, communiant au corps du Christ comme les hommes, les femmes avaient le droit de pénétrer comme eux dans sa maison ? Ou bien l'accès du mausolée provençal de la Madeleine ?

Tous les dirigeants de l'Église, en tout cas, étaient d'accord pour juger nécessaire d'empêcher la femme de nuire. Par conséquent de l'encadrer. En la mariant. La femme parfaite – à ce propos l'attitude de la Madeleine était exemplaire – est en effet celle qui attend tout de son seigneur, qui le chérit, mais qui, surtout, le craint. Et le sert. La femme enfin qui pleure et qui ne parle pas, celle qui obéit, prosternée devant son homme. Par conséquent, dès la puberté, la fille doit devenir épouse. Épouse d'un maître qui la tiendra en bride. Ou bien épouse du Christ, enfermée dans un couvent. Sinon elle a toute chance de devenir putain. Comme pour les hommes, bipartition, et sur critère sexuel : *uxores-meretrices.* Matronnes ou bien filles des rues. Voici pourquoi les bons évêques, Hildebert de Lavardin, Marbode de Rennes choisirent de récrire à cette époque la vie de prostituées repenties, et si pleinement, si parfaitement châtiées dans les puissances de leur funeste séduction qu'elles purent devenir des saintes, célébrées comme telles pour s'être volontairement dévastées, Marie l'Égyptienne, Thaïs. Et, pour détourner du péché majeur, ces prélats présentaient la femme sous son aspect pour eux le plus terrifiant, tentatrice, couverte de parures, racolant les hommes, les conviant à ce qu'il y a de plus abject dans l'union des corps. Ils voulaient ainsi prouver que l'âme, si infectée soit-elle de luxure, peut être entièrement blanchie par une pénitence corporelle. Voici pourquoi l'on vit en ce temps de nouvelles Thaïs, les recluses, s'établir, non pas au désert mais au centre des villes, bouclées dans une cellule, et de là portant témoignage, enseignant, prêchant. Mais prêchant sans paroles, par le seul délabrement de leur corps. Voici pourquoi la Madeleine de Geoffroi de Vendôme ressemble tant à Marie l'Égyptienne. Voici pourquoi les pécheurs l'imploraient, mêlant leurs larmes aux siennes, pourquoi ils étaient si nombreux à gravir la colline de Vézelay, sachant, comme le leur disait le *Guide* de Compostelle, que le Seigneur leur remettrait leurs fautes à cause d'elle. Médiatrice écoutée parce que pénitente obstinée.

*

En effet, au seuil du XIIe siècle, se forgeait l'instrument grâce auquel l'autorité ecclésiastique entendait pousser plus profondément la réforme des mœurs, contraindre tous les fidèles à observer ses préceptes : c'était le sacrement de pénitence. Le rite n'exigeait pas seulement la contrition, l'aveu, mais encore, s'inspirant des pratiques de la justice publique et projetant sur l'ensemble de la société des procédures de réparation depuis des siècles en usage dans les communautés monastiques, le rachat. Il obligeait à payer, à « satisfaire » le juge en se soumettant à un châtiment. Et l'idée s'installait ainsi d'une tarification, d'une graduation des punitions rédemptrices, donc d'un lieu, d'un temps d'attente, purgatoires, et d'une comptabilité gérée par les administrateurs du sacré, les prêtres. Tandis que se retirait à l'arrière-plan, s'effaçait peu à peu le geste de Jésus, pardonnant pour une seule raison, l'amour. C'est ainsi que, désormais, l'apparence corporelle de la femme qui

aima Jésus plus violemment que tout autre repré-
senta avant tout, dans l'imaginaire collectif, le péché
et son rachat. Durant le XIIe et le XIIIe siècle, tandis
que le renom des reliques de Vézelay atteignait son
apogée puis peu à peu déclinait, tandis que la prédication populaire s'amplifiait et que la figure de
Marie de Magdala venait se poster en très bonne
place dans la piété des nouvelles équipes religieuses,
franciscaines et dominicaines, tandis que s'affirmait
le succès du pèlerinage de Provence, lentement
d'abord, puis brusquement, après une nouvelle
invention, à Saint-Maximin cette fois, des restes de
la sainte, ces traits s'affirmèrent. Sans doute, la Madeleine demeura-t-elle pour beaucoup la « béate amoureuse ». Le vocabulaire de l'érotique courtoise s'in-
troduisit dans les Vies en langue romane dont la
parole des prêcheurs répandait l'enseignement :
Madeleine, « douce amoureuse », trouvait, disent-
elles, dans le Christ, « vrai amant », que « très ardemment elle aimait », « courtoisie, débonnaireté et grande
douceur ». Et lorsque Saint Louis, revenant de Syrie,
débarqua en Provence en 1254, le lieu qu'il s'en alla
visiter à la Sainte-Baume, grimpant jusqu'à cette
« voûte de roche haute, là où l'on disait que la
Magdaleinne avait été en hermitage dix-sept ans »,
était-il peut-être bien pour lui celui des extases mystiques plutôt que des macérations. Cependant, le
péché, le péché de chair, expié par l'autodestruction

physique, occupe depuis Geoffroi de Vendôme, depuis Hildebert, le devant de la scène. Que, pour la lecture de l'Évangile le 22 juillet, l'épisode du matin de Pâques décrit par Jean ait peu à peu cédé le pas, au cours du xiiie siècle, à celui du repas chez le pharisien décrit par Luc, que la figure de la prostituée pleurant ses fautes ait ainsi évincé celle de l'amante éplorée en fournit la preuve éclatante.

Les fidèles, ceux qui regardaient vers Vézelay, ceux qui regardaient vers Saint-Maximin voyaient d'abord la Madeleine en larmes. Torrent de larmes. Innondation : Madeleine et Maximin « fondaient en larmes si abondamment que de leurs larmes était le pavement de la chapelle non seulement arrosé, mais si pleinement mouillé qu'en certains lieux l'eau flottait sur le pavement », et, sur son lit de mort, la sainte, « fondant en larmes, reçut son créateur de telle manière que ses yeux semblaient deux conduits d'une fontaine rendant eau cou- rante ». Pour Jacques de Vitry, prêchant sur le thème de la Madeleine, aucun doute : ces larmes sont de componction, leur source est dans « la douleur des péchés ». Marie-Madeleine, c'est désor- mais en premier lieu la fille publique repentante. Ainsi apparaît-elle dans les modèles construits par les maîtres des écoles parisiennes à l'usage des prédicateurs, dans ces écrits qui se multiplièrent au cours du xiiie siècle où s'expriment les intentions de l'appareil ecclésiastique quant à la figure de la bienheureuse qu'il importait de diffuser parmi le peuple.

Pour cette raison, jamais – Nicole Bériou qui connaît bien ces textes l'a clairement établi – jamais les sermons qu'ils ont composés sur ce thème ne s'adressent spécialement aux femmes. Depuis la fin du XIIe siècle, des femmes, et de plus en plus nombreuses, choisissaient d'imiter les gestes de la Madeleine : elles vivaient à l'écart du monde, pénitentes, pleurant, affectant de se nourrir uniquement, elles aussi, du pain des anges. Il est remarquable que les prêtres qui ont recueilli leurs paroles et raconté leur vie dans l'intention, vantant leurs mérites, d'étouffer l'éclat des renoncements parfaits que s'imposaient les matronnes en pays cathares, aient jugé prudent de ne pas évoquer à propos des béguines la figure de Marie de Magdala. Elle ne pouvait être un modèle de sainteté féminine. Ce que l'on répétait alors aux femmes, c'est qu'elles seraient plus ou moins récompensées de leurs bonnes œuvres selon qu'elles se trouvaient rangées soit parmi les vierges, soit parmi les veuves, soit parmi les épouses. Ni vierge, ni épouse, ni veuve, la Madeleine restait la marginalité même, et la plus inquiétante, pour tous les péchés dont son être s'était laissé si longtemps captiver. *Peccatrix, meretrix.* Non, les prêcheurs parlaient de la Madeleine aux hommes, et pour les réveiller de leur torpeur, les faire rougir de leurs faiblesses. Voyez ce qu'a pu faire une femme, son courage, sa constance. Et vous ? Le ressort de l'exhortation gît en effet dans une misogynie foncière. La Madeleine, dans ces homélies, est au fond l'anti-femme. Cependant, plus femme que toutes, pour son péché et ses attraits.

Ces attraits, ces armes dont Satan a doté les femmes afin qu'elles conduisent les hommes à se perdre, les modèles de sermons construits sur les textes concernant Marie-Madeleine les mettent, sans y prendre garde, en périlleuse évidence. L'un d'eux, œuvre sans doute d'Étienne Langton, est bâti curieusement sur un rondeau, sur l'un de ces airs à danser que l'on chantait dans Paris et qui, comme c'était la mode, déplorait le sort de la mal mariée. Ici, la mal mariée, c'est Madeleine, et ses maris, les démons des sept péchés capitaux qui l'ont successivement prise, chacun pire que le précédent. Le dernier d'entre eux est, bien sûr, celui de la luxure, et la femme qu'il manie, qu'il exploite, une prostituée. Enjôleuse. Apprêtée pour séduire. Telle des « femmes de notre temps » évoquées par un autre prédicateur, Guillaume d'Auvergne, fières de leur corps, le parant « de la tête aux pieds », usant de tous les artifices, fards, parfums, « ornements lascifs, capables d'induire en tentation les hommes qui passent ». Usant très spécialement, tous les sermons le disent, de leurs longs cheveux libérés de la guimpe. « Ce que les femmes ont de plus cher », affirme Eudes de Châteauroux.

La chevelure dénouée, le parfum répandu, l'une et l'autre étroitement associés dans l'imaginaire de la chevalerie aux plaisirs du lit. Évoquer ces pièges de la sensualité, c'était attiser dans l'esprit des auditeurs les fantasmes qu'éveillait la lecture de la vie érémitique : les tendresses d'un corps de femme, nu parmi l'âpreté des rochers, la chair devinée sous les déferlements de la chevelure, la chair meurtrie et pourtant resplendissante. Tentante. Depuis la fin du XIIIe siècle, peintres et sculpteurs se sont évertués à donner de Madeleine cette image ambiguë, troublante. Sans cesse, même les plus austères, même Georges de La Tour. Jusqu'à Cézanne.

Héloïse

De toutes les dames qui vécurent en France au
XIIe siècle, Héloïse est celle dont le souvenir est
aujourd'hui le moins évaporé. Que sait-on d'elle ?
En vérité peu de choses. De méticuleuses recherches
menées parmi les documents d'archives ont permis
de la situer dans la haute aristocratie d'Île-de-France.
Descendante par son père des Montmorency et des
comtes de Beaumont, par sa mère des vidames de
Chartres, elle se rattachait, comme Abélard d'ailleurs,
à l'un des deux clans qui se disputaient le pouvoir
au début du XIIe siècle dans l'entourage du roi
Louis VI. En 1129, on la découvre prieure de l'abbaye de femmes d'Argenteuil, position importante
qu'elle doit à sa naissance. À cette date, cette communauté est dissoute. Héloïse conduit un groupe de ces
moniales ainsi dispersées en Champagne près d'un
ermitage qu'Abélard avait fondé sous la vocation du
Paraclet, du Saint-Esprit consolateur. Elle devient
l'abbesse du nouveau monastère. Abélard, plein de

sollicitude, compose pour ces nonnes des hymnes et des sermons, dont l'un, à propos de sainte Suzanne, est un éloge de la chasteté. On conserve aussi les quarante-deux questions qu'Héloïse soumit à Abélard. La dernière, la seule qui ne porte pas sur les difficultés du texte de l'Écriture, demande « si quelqu'un peut pécher en accomplissant ce qui est permis et même ordonné par Dieu ». Abélard répondit par un petit traité sur le mariage, sur la morale conjugale, sur la nécessité de réprimer le désir et le plaisir.

Le plus substantiel, le plus certain aussi de ce que nous connaissons de cette femme, vient d'une lettre écrite en 1142. Elle met en scène trois personnages. Héloïse : elle vient d'entrer dans la quarantaine, c'est-à-dire que, selon les critères de l'époque, elle a pris place parmi les femmes âgées. Deux hommes. Tous deux s'appellent Pierre. L'un, abbé de Cluny, est à la tête d'une congrégation immense répandue à travers toute l'Europe et où s'incarne la conception la plus majestueuse du monachisme ; on le respecte, on le vénère ; son autorité morale égale celle du pape, peut-être même la surpasse-t-elle. L'autre est maître Abélard, qui fut le professeur le plus hardi de son temps. Il vient de mourir, à soixante-trois ans, dans une dépendance de l'abbaye de Cluny où Pierre le Vénérable l'avait accueilli.

Cette lettre est adressée à Héloïse. L'abbé de Cluny l'a composée. C'est un écrivain de grand renom, il aime à jouer des mots, des phrases. Il excelle à ce jeu. Il applique toute son habileté, sa parfaite connaissance des règles de la rhétorique à polir cette épître, une lettre de consolation, de réconfort, comme il s'en est beaucoup écrit au xiie siècle dans les monastères. Par de telles paroles, lancées d'un cloître en direction d'un autre cloître, par de tels messages dont les termes avaient été longuement pesés et que leur destinataire lisait, relisait non point en privé, mais à haute voix devant les membres de la famille spirituelle où il menait sa vie de prière et de pénitence, par ces écrits dont les mieux tournés étaient recopiés, circulaient, et que, ce fut le cas de celui-ci, l'on rassemblait plus tard en recueils, un étroit commerce de cœur et d'esprit s'établissait entre religieux et religieuses, ces hommes, ces femmes qui s'étaient enfermés à l'écart des turbulences du monde, persuadés de se hausser par ce renoncement au sommet de la hiérarchie des valeurs humaines. Un tel échange épistolaire a nourri ce qu'il y eut en ce temps dans la littérature d'expression latine peut-être de plus vigoureux, de plus original, en tout cas de plus révélateur des comportements et des attitudes mentales.

Pierre vient de recevoir par l'intermédiaire du comte de Champagne une missive d'Héloïse, un appel anxieux. Pour la réconforter, il relate ce que furent les derniers mois de la vie d'Abélard. Une vie exemplaire, édifiante. Moine parfait, absous, lavé de toutes ses fautes, il a fait une très belle mort. Mais ça n'est pas lui qui m'intéresse, c'est Héloïse. À son propos, ce document, dont l'authenticité est incontestable, fournit deux indications précieuses. Il indique d'abord qu'Abélard « est à Héloïse », qu'il lui appartient ; en effet, elle lui fut unie, dit Pierre sans parler expressément de mariage, par la « copulation charnelle », et ce lien fut ensuite resserré par l'amour divin ; « avec lui, et sous lui », elle a longtemps servi le Seigneur ; Dieu maintenant, « à la place » d'Héloïse, « comme un autre elle-même le réchauffe en son giron » ; il le lui conserve pour le lui rendre au Jugement dernier. La lettre, d'autre part, s'ouvre par un long éloge d'Héloïse. Elle la montre comme le modèle des abbesses, le bon capitaine d'une petite escouade de femmes luttant sans relâche contre le démon, « le très ancien et perfide ennemi de la femme » ; ce serpent, Héloïse le foule aux pieds depuis longtemps ; elle va écraser sa tête ; son ardeur au combat qui fait d'elle une nouvelle Penthésilée, reine des Amazones, l'égale des femmes fortes dont parle l'Ancien Testament, lui vient avant tout de ses qualités intellectuelles. Dès son jeune âge, elle étonnait le monde ; méprisant les plaisirs, elle ne songeait qu'aux études ; elle les poursuivit et si bien que, dans le domaine de l'esprit, elle, une femme, parvient, ô prodige, à « dépasser presque tous les hommes ». Entrant en religion, elle n'a pas seulement changé sa vie mais tout ce qu'elle avait en tête. Elle les a mis, en complète soumission, au service du Christ, devenant ainsi vraiment « femme philosophique ». Voici ce qui fait sa force. L'image surprend. Elle s'ajuste assez mal à celle qu'évoque pour nous le nom d'Héloïse. La figure de cette femme, en effet, s'est ancrée solidement dans l'imaginaire européen et cette figure n'est pas celle de la religieuse exemplaire que Pierre de Cluny, que Bernard de Clairvaux après lui ont célébrée. Jean de Meung, à Paris, à la fin du xiiie siècle, n'a pas chanté dans le *Roman de la Rose* la sagesse d'Héloïse, mais au contraire ce qui la faisait paraître « folle à bien des gens ». De cette folie, Pétrarque à son tour s'émerveilla. Cette folie toucha Rousseau, Diderot et même Voltaire. Cette folie enflamma les romantiques : ils allaient se recueillir sur la tombe de l'abbesse au Père-Lachaise et l'on peut voir encore sur les quais de la Seine au pied de Notre-Dame, aux murs d'une maison bâtie vers 1830, une inscription situant là le lieu, supposé, où cette fille s'abandonna à tous les emportements de la fougue amoureuse. Et puis Rilke, et puis Roger Vailland, tant d'autres aujourd'hui encore. Depuis Jean de Meung, l'Héloïse de nos rêves est la championne du libre amour qui refusa le mariage parce qu'il enchaîne et transforme en devoir le don gratuit des corps ;

c'est la passionnée, brûlée de sensualité sous son habit monastique, c'est la rebelle qui tint tête à Dieu lui-même ; c'est la très précoce héroïne d'une libération de la femme.

Cette image, si différente de la première, s'est édifiée à partir d'un événement dont nous sommes informés par deux autres lettres, elles aussi authentiques — vraisemblablement du moins : rien n'est tout à fait sûr à propos des textes de ce genre dont beaucoup sont des morceaux de bravoure, des modèles de beau style bâtis pour briller dans les réunions littéraires ou bien composés comme des exemples de belle écriture à l'intention d'étudiants débutant dans les arts libéraux. De ces deux lettres, Abélard est le destinataire. La première, comme celle de Pierre le Vénérable, se veut consolatrice. Elle émane de Fouques, prieur de l'abbaye de Deuil, un monastère, près de Montmorency, englobé lui-même dans le cercle de familles puissantes dont Abélard et Héloïse faisaient partie. Abélard vient d'être châtré. Qu'il réprime sa rancœur, qu'il ne cherche pas à se venger. Entré au monastère de Saint-Denis, il est maintenant hors du monde. En outre, ses agresseurs sont punis, émasculés eux aussi, les yeux crevés de surcroît, et celui qui arma leur bras s'est vu confisquer sa prébende. Mais surtout qu'Abélard mesure le profit qu'il tire de cette épreuve. Il est désormais libre, il est libéré, sauvé. Il était en train de se perdre. Ce que

Fouques démontre en décrivant le chemin parcouru jusqu'au drame. Au départ le succès, immense, des auditeurs affluant de toutes parts pour écouter le maître, « très limpide source de philosophie ». Puis la chute. L'occasion, « à ce que l'on dit », en fut l'« amour » (entendons par ce mot le désir du mâle), « l'amour de toutes les femmes : c'est par les filets du désir qu'elles captivent les hommes de plaisir ». Fouques n'en dit pas plus à ce propos ; il est moine, les moines ne parlent pas de ces choses-là. Il insiste, en revanche, sur l'orgueil d'Abélard : « Doté de trop de dons [...] tu t'estimais supérieur à tous les autres, même aux savants qui avant toi s'étaient adonnés à l'œuvre de sagesse. » *Superbia* d'abord. Ensuite *Avaritia* : le métier de professeur à Paris enrichissait en ce temps son homme. Enfin Luxure : « Tout ce que tu pouvais gagner en vendant ton savoir, tu l'engloutissais dans un gouffre, tu le dépensais à faire l'amour. L'âpre rapacité des filles te ravissait tout. » Ainsi te voilà guéri, et par la seule ablation d'une « particule » de ton corps. Quel bénéfice ! D'abord, si tu gagnes moins, tu as aussi moins d'occasion de dépenser : ne craignant plus pour les femmes de leur maisonnée, tes amis t'ouvrent leur porte. Finies aussi les tentations, les fantasmes de sodomie, finies les pollutions nocturnes. La castration, donc, comme délivrance. Conformément aux règles de la rhétorique, la lettre se termine par un *planctus*, la déploration du malheur. Tout Paris est en deuil, l'évêque, son clergé, les bourgeois, enfin, et surtout, les femmes. « Dois-je évoquer les pleurs de toutes les femmes ? À cette nouvelle, elles inondèrent de larmes leur visage à cause de toi, leur chevalier, qu'elles avaient perdu. C'était comme si chacune eût perdu dans la guerre son époux *(vir)* ou son amant *(amicus)*. »

Roscelin, un maître dont Abélard avait jadis suivi l'enseignement en Touraine, est l'auteur de l'autre épître qui, celle-ci, est d'invective. Il répond à Abélard lequel contre lui avait pris la défense de Robert d'Arbrissel, l'apôtre illuminé qui accueillait les femmes en peine à Fontevraud, dans ce monastère double où, selon la règle qui fut adoptée au Paraclet, les religieux se trouvaient, en subversion de toute hiérarchie naturelle, subordonnés aux religieuses et sous l'autorité de l'abbesse. Roscelin commence, en défenseur de l'ordre social, par attaquer messire Robert : « Je l'ai vu, dit-il, accueillir des femmes qui avaient fui leur mari, que leur mari réclamait, les retenir obstinément jusqu'à leur mort [...]. Or, si une épouse refuse de s'acquitter de sa dette envers l'époux, si celui-ci pour cette raison est contraint de forniquer ici et là, la faute est plus grave pour celle qui contraint que pour celui qui agit. Le coupable de l'adultère est la femme qui abandonne son homme, lequel est forcé de pécher. » Et plus coupable encore est évidemment celui qui retient ces femmes. L'important, toutefois, est ici l'attaque directe de Roscelin contre son ancien disciple. « Je t'ai vu dans Paris l'hôte du chanoine Fulbert, reçu dans sa maison, accueilli à sa table avec honneur comme un ami, un familier. Il t'avait confié, pour que tu l'instruises, sa nièce, une pucelle très sage [...]. Animé par un esprit de luxure effréné, tu lui as appris non pas à raisonner mais à faire l'amour. En ce méfait sont réunis plusieurs crimes. Tu es coupable de trahison, de fornication et d'avoir défloré une vierge.» Bien plus, aujourd'hui mutilé, Abélard pèche encore par la femme. L'abbé de Saint-Denis l'autorise à enseigner. Or « ce que tu gagnes en enseignant des faussetés, tu le portes à ta putain comme une récompense pour services rendus. Tu le portes toi-même, et ce que tu donnais autrefois, quand tu n'étais pas impotent, pour le prix du plaisir attendu, tu le donnes en reconnaissance, péchant plus gravement en payant les débauches passées qu'en en achetant de nouvelles. »

Ne nous arrêtons pas aux outrances de langage. Les lois de l'éloquence épistolaire imposaient en cet âge baroque de s'exprimer impétueusement. Tenons-nous-en, pour le moment, au contenu de ces trois lettres. Voici deux « philosophes » célèbres, très célèbres, qui se sont unis charnellement, dans l'amour des corps. Copulation dit Pierre, fornication dit Roscelin. En tout cas, ils ont formé un couple, et ce couple a duré. Entrés l'un et l'autre dans la vie monastique, ils ont marché du même pas vers le salut, la femme cependant soumise à l'homme, servant Dieu « sous lui ». L'homme, comme il se doit, est l'acteur toujours. C'est lui, d'un bout à l'autre de l'aventure, qui agit.

Ce fut l'« amour des femmes », et de « toutes les femmes », qui le perdit. Talent, gloire, argent, il assouvissait aisément ses convoitises. À Paris, la science se vend, les femmes s'achètent. Le jeune Abélard fut donc un homme à femmes. Où est le vrai ? N'est-ce pas là, dans le parti des intégristes, l'interprétation malveillante de ce souci, nouveau, qui poussait, au début du XIIe siècle, certains serviteurs de Dieu, préoccupés de l'âme des femmes, à ne plus se tenir aussi éloignés d'elles ? Tels Robert d'Arbrissel et ses émules dont on racontait volontiers que leurs disciples couchaient avec les pénitentes ?

Dans le cas d'Abélard, cependant, le fait est clair : il s'est emparé d'Héloïse. Affaire banale, à vrai dire. On sait l'exubérance à l'époque de la sexualité domestique. Dans une vaste maisonnée, celle d'un noble chanoine, vivait une adolescente, la nièce du patron, vacante. Bonne à prendre par conséquent. Au fond comme ces pucelles que l'on voit, dans les romans de chevalerie, libéralement offertes pour la nuit par leur père au héros de passage, conformément aux bons usages de l'hospitalité. Ici, toutefois, le maître de maison n'était pas d'accord. Il fit châtrer le suborneur. En 1113, semble-t-il : l'année suivante, le nom de Fulbert, l'instigateur de la castration qui, selon Fouques, fut puni par la confiscation de ses biens, disparaît en effet pour cinq ans des listes des chanoines de Notre-Dame. Un accident. Toutefois, dans le petit monde des écoles parisiennes et de la cour royale, l'événement fit scandale : un savant réputé, émasculé à cause d'une femme, savante, elle aussi bien connue. Imaginons semblable déboire advenant à Jean-Paul Sartre dans le Paris des années cinquante. On en parla beaucoup, on en parla long-temps. Ce cas retentissant offrait de quoi construire une belle histoire morale propre à poser certains des problèmes qui tracassaient les hommes d'étude au début du xiiᵉ siècle, en France du Nord. Problèmes de métier, des rapports du métier intellectuel avec les vanités du monde, l'orgueil, la cupidité. Pro-blèmes surtout du sexe. Or ces mêmes problèmes sont posés dans un ensemble de lettres qui furent rassemblées dans l'abbaye du Paraclet. Elles se disent écrites autour de 1132, dix-neuf ans après la fâcheuse aventure. En fait, le plus ancien des manuscrits qui transmettent ces écrits fameux est beaucoup plus tardif, contemporain de Jean de Meung. Celui-ci, enthousiaste, traduisit du latin cette correspondance. Des générations n'ont cessé de la relire et de s'en émouvoir. Héloïse et Abélard sont là. Ils parlent,

affrontés dans un drame. Quatre tableaux, un
dénouement. En prélude, un monologue.

*

I

Sous prétexte de consoler un ami, Abélard raconte
longuement, complaisamment, ses propres malheurs.
Il vivait heureux. Brusquement, dit-il, un double
coup vint le frapper aux deux sources de son péché
d'orgueil : dans son esprit, ce fut la condamnation
et la destruction de son œuvre, dans sa chair, ce fut
l'émasculation. Au centre de la confession donc, le
fait divers que nous connaissons et ses suites.
L'homme, ici, n'est pas le coureur de jupons dont
se gaussait Fouques. Il était chaste. Mais riche, et
« dans le confort mondain, la vigueur de l'âme, on
le sait, s'étiole, elle se dissout aisément parmi les
plaisirs de la chair [...]. Parce que je me croyais le
seul philosophe au monde, je commençais de relâcher
le frein du désir, moi qui jusqu'alors me contenais ».
Dans la maison de Fulbert, Héloïse le tenta. « Assez
jolie », mais surtout « supérieure à toutes par la
surabondance de son savoir ». Elle tomba dans ses
bras. Il en jouit, raffinant : « Si quelque chose de
nouveau pouvait être inventé dans l'amour, nous

l'ajoutions. » Esclave du plaisir, devenu, Étienne Gilson l'a fait remarquer, « recréant », comme l'Érec du roman, oublieux des devoirs de son état, délaissant l'étude, « passant ses nuits dans les veilles amoureuses ». Dévirilisé par la femme, « épuisante », il s'effondra, de tout son haut. Héloïse devint grosse. Il l'enleva, la conduisit en Bretagne, son pays natal. Elle accoucha d'un fils. L'oncle parla d'honneur, exigea réparation. Abélard accepta d'épouser, à condition cependant que l'union restât secrète. On s'accorda. Entre hommes, la fille, elle, ne consentant pas au mariage. On la força. Mais aussitôt après les noces, clandestines, le mari honteux, soucieux de sa réputation, enferma sa femme au couvent d'Argenteuil. Elle y avait été élevée, et l'on pouvait croire dans Paris qu'elle y retournait, comme si de rien n'était, sans trace de mariage ni de maternité, afin d'y parfaire son éducation, libre pensionnaire, en compagnie de pucelles de bonne naissance, ses cousines plus ou moins proches. La parenté d'Héloïse se crut flouée. Elle se vengea. Châtré, Abélard se fit moine. C'est alors qu'il obligea son épouse à prendre le voile, à devenir, comme lui, religieuse. Au temps où il écrit cette autobiographie, il l'a installée au Paraclet. Lui-même dirige depuis quatre ans l'abbaye bretonne de Saint-Gildas-de-Rhuys.

II

Cette longue épître tomba aux mains d'Héloïse, laquelle entre alors en scène pour le premier tableau. À son tour elle écrit, s'adresse à celui qu'elle nomme son « mari » et son « seigneur », et pour se plaindre, à voix très haute, très digne. Après leur mariage, dont elle ne voulait pas, préférant demeurer, comme elle dit, sa « putain » afin de préserver la gratuité de leur amour, le sien pour lui devint si fou que malgré elle, sur son ordre, soumise, obéissant non pas à Dieu mais à lui, elle finit par accepter de devenir nonne. À lui, maintenant, de remplir son devoir de mari. Jusqu'à présent, il l'a délaissée, elle et le petit troupeau de femmes dont elle est au Paraclet la bergère. C'est que lui n'a jamais songé qu'à son plaisir. Il ne peut plus jouir d'elle, donc il ne s'en soucie plus. Elle, au contraire, reste prisonnière de l'amour, de l'amour vrai, du corps et du cœur. Elle a besoin de lui. Jadis il fut son initiateur aux jeux du libertinage. Qu'il l'aide aujourd'hui à se rapprocher de Dieu.

III

Réponse d'Abélard, distante. Second tableau beaucoup plus terne. L'époux défaillant s'excuse, brièvement. S'il n'a pas donné signe de vie, c'est qu'il sait combien sa femme est sage, et que d'ailleurs le Seigneur soutient de toute sa force les femmes qui le servent dans les couvents. Il faudra bien qu'Héloïse continue de se passer de lui. Il va sans doute mourir bientôt : les moines de Saint-Gildas songent à le tuer. Abélard demande que les moniales du Paraclet prient pour son âme en attendant d'ensevelir son corps. Les prières des femmes, dit-il, et très rares étaient en ce temps ceux qui pensaient ainsi, ont autant de valeur que celles des hommes.

IV

Il a suffi qu'Abélard réponde, qu'il évoque son possible trépas pour susciter l'élan superbe qui fait la beauté de la quatrième lettre et porte à son sommet l'intensité dramatique. « À celui qui est tout pour elle en Jésus-Christ, celle qui est tout pour lui en Jésus-Christ », cette phrase initiale révèle l'inflexion qui déjà se dessine par l'effet de la grâce, la soumission au Christ. Avant tout, cependant, la puissance de l'amour. La passion fuse de toutes parts à travers ces phrases latines, cadencées, balancées, et dont l'apparent désordre est là pour traduire les agitations de l'âme. C'est ici que l'on s'écrie : voilà bien toute pure l'expression de la féminité. C'est ici

que l'historien des femmes croit enfin les entendre
parler, saisir ce qu'elles pensaient vraiment il y a
huit siècles dans l'intimité de leur cœur. Frémissante,
Héloïse ne supporte pas l'idée qu'Abélard disparaisse
avant elle. Dans le trouble qui la saisit, elle ne se
contient plus, elle ne se retient plus de s'en prendre
à Dieu. Pourquoi Dieu les a-t-il frappés, et après
leur mariage qui, pourtant, était remise en ordre?
Pourquoi Abélard seul? À cause d'elle? Car c'est
bien vrai ce que l'on dit, « que l'épouse d'un homme
est le plus docile instrument de sa ruine ». Voilà qui
fait que le mariage est mauvais et qu'elle avait raison
de le refuser. Elle s'impose pénitence, mais ce n'est
pas pour Dieu, c'est en réparation de ce qu'Abélard
a subi. Lui a été castré, pas elle. La femme ne peut
l'être. Ni délivrée par là des morsures du désir. Dans
sa nature féminine, Héloïse ne parvient pas à se
repentir. Elle reste obsédée, au cœur même des dévo-
tions, par le souvenir des voluptés perdues.

V

Elle a touché juste. Abélard au quatrième acte
s'anime. Pour bien marquer le sens de sa réponse,
il l'adresse à « l'épouse du Christ ». En effet, tout va
tourner autour du mariage. Lui fut un mauvais mari,
luxurieux, poursuivant sa femme, la prenant de force

jusque dans le réfectoire d'Argenteuil, la rouant de coups pour qu'elle cède. Il a donc mérité son châtiment. Salutaire, puisqu'il l'a débarrassé de ce qui dans son corps était le « royaume du désir ». Du désir, Héloïse reste seule tourmentée. Qu'elle s'en console : par ce qu'elle endure, elle accède à la gloire du martyre. Elle est, en prenant le voile, devenue l'épouse du Seigneur, parfait mari lui, et mieux, parfait amant. Abélard en est le serviteur. Elle domine donc désormais son époux terrestre. Elle est sa « dame ». Et la prière qu'il lui dicte pour qu'elle la récite quotidiennement célèbre la conjugalité. « Dieu, qui dans le commencement de la création humaine sanctionna la grandeur suprême du sacrement de l'accouplement nuptial [...] tu nous as unis, puis séparés quand il t'a plu. » Termine ce que tu as commencé « et ceux que tu as une fois séparés dans ce monde, unis-les à toi pour jamais au Ciel ». Voici très précisément ce que Pierre de Cluny promet, dix ans plus tard, en 1142 à Héloïse.

VI

Le drame se dénoue brusquement au début de la lettre suivante, la dernière d'Héloïse. Elle obtempère. Elle empêchera désormais sa main d'écrire les mots qui se pressent à ses lèvres, portés par la pulsion véhémente dont son faible corps de femme est envahi. Elle s'efforcera de se taire. Elle renferme sous le sceau de son silence et son amour, et son amertume, et les tumultes de son désir. Passons, dit-elle, à autre chose. Ce qu'elle demande maintenant à son « maître », c'est d'établir une règle nouvelle pour la communauté du Paraclet. Il n'est plus question que de cela dans la suite, interminable et pour nous fastidieuse, de la *Correspondance*.

*

Cette exigence farouche de liberté, ce mutisme quant à la contrition, l'amour-passion selon Stendhal : comment comprendre que l'abbé de Cluny ait pu faire un tel éloge d'Héloïse, révoltée notoire ? Des traits qu'il lui prête et de ceux que révèle l'échange de lettres, comment décider quels sont les vrais ? Comment l'historien parvient-il à discerner qui fut vraiment cette femme ?

Il doit en premier lieu se méfier. Ce texte est suspect. Des doutes se sont élevés dès le début du XIXe siècle quant à son authenticité. Les érudits se sont battus, ils se battent encore pour ou contre. Quelques-uns voient en lui l'œuvre d'un faussaire. Beaucoup pensent que les missives attribuées à Héloïse furent rédigées sinon par Abélard lui-même, du moins, comme celle de la *Religieuse portugaise*, par un homme. Je n'entre pas dans la controverse. Je retiens seulement l'argument le plus fort des tenants d'une plus ou moins profonde falsification : c'est la cohésion de l'ensemble. Ce recueil épistolaire diffère de tous ceux qui furent composés à l'époque en ce qu'il dispose les lettres comme elles le sont dans *La Nouvelle Héloïse* de Rousseau ou dans *Les Liaisons dangereuses*, c'est-à-dire l'une répondant à l'autre. Il apparaît, en outre, que certaines épîtres, d'Héloïse ou d'Abélard, n'ont pas été retenues ; c'est que l'on a voulu, par un choix raisonné, bâtir un discours ramassé, persuasif. Enfin, comme celui d'un traité, le texte des manuscrits, tous postérieurs d'un siècle et demi au moins aux faits, est divisé en chapitres annoncés par des rubriques. Il contient même, dans la partie placée sous la plume d'Abélard, des renvois à des passages précédents. Il s'agit là, sans conteste, d'une minutieuse construction littéraire. Elle se lit comme un roman. Un roman, notons-le, dont le protagoniste est un homme. Certes, le personnage féminin pèse ici d'un poids plus lourd que dans les romans de chevalerie. L'attention se porte cependant principalement sur Abélard, comme ailleurs sur Tristan ou sur Lancelot. Reste une évidence : la matière de l'ouvrage contient trop d'allusions précieuses et justes au monde des écoles parisiennes sous le règne de Louis VI et de Louis VII pour que l'on puisse l'imaginer forgée plus tard de

toutes pièces ; elle date certainement du milieu du
XIIe siècle. Il est toutefois non moins évident que
cette matière a fait l'objet d'un montage dont nul
ne connaîtra jamais l'auteur.

Admettons qu'Héloïse ait bien écrit ses trois missives, ce dont personnellement je doute. L'historien
doit alors éviter un contresens qui a faussé, qui fausse
encore toute interprétation de ce document. On
n'écrivait pas une lettre au XIIe siècle comme au temps
de Leopardi ou de Flaubert, ni comme on l'écrit
aujourd'hui, si tant est qu'on en écrive encore. Toutes
celles qui ont été conservées étaient, je l'ai dit, lancées
vers le public comme des sermons, comme des tirades
de tragédie, et c'est pourquoi tout à l'heure j'ai parlé
de drame. Pas plus que le grand chant courtois des
troubadours, elles ne livraient de confidences. Point
d'épanchements spontanés de personne à personne.
Leur auteur songeait d'abord à démontrer sa virtuo-
sité d'écrivain, jouant sur la résonance des mots, sur
le rythme des phrases ; il faisait étalage de sa culture,
en truffant le texte de citations. Celles-ci encombrent
les lettres attribuées à Héloïse. Au beau milieu de
ce qui semblait l'irrépressible cri d'un amour blessé,
des phrases de saint Ambroise, de saint Augustin,
de saint Paul viennent refroidir en nous, hommes
du XXe siècle, l'émotion qui commençait de nous
saisir. L'impression qu'il ne s'agit pas d'un aveu
mais d'une démonstration savante se renforce lorsque

l'on découvre Héloïse, jouant parfaitement son personnage, tenant ici le rôle du pécheur obstiné tel que l'expose saint Jérôme dans sa diatribe contre Jovinien. «Le souvenir des vices contraint l'âme à s'y complaire et d'une certaine manière à s'en rendre coupable, même lorsqu'elle n'agit pas», cette péripétie du drame est entièrement construite sur une telle proposition. Et l'artifice éclate lorsqu'on s'aperçoit que la même sentence est déjà citée dans la confession d'Abélard, à propos de lui cette fois, au début du parcours rédempteur, lorsqu'il se mettait en marche vers le salut, montrant la voie comme un époux doit le faire. L'écriture, enfin, se conformait en ce temps à des règles très précisément codifiées, enseignées. Faute de les bien connaître, on risque de se tromper lourdement sur le sens du discours ainsi construit. Un exemple : ce silence que s'impose dans la dernière de ses lettres l'abbesse du Paraclet, ce silence dont on s'est extasié, le prenant pour un refus hautain de se plier, est en fait, Peter von Moos l'a démontré, une figure de rhétorique décrite dans les arts de discourir sous le nom de *praeteritio*. Les contemporains d'Abélard en usaient couramment dans les débats d'idées lorsqu'ils en venaient à conclure une discussion.

La pensée de quiconque se piquait d'écrire s'exprimait nécessairement dans ces formes rigides, conventionnelles, celles d'une rhétorique dont nous avons perdu l'usage. C'est ainsi que les paroles prêtées à Héloïse nous sont parvenues. Et par des écrits composés pour convaincre un vaste auditoire. Si l'on n'oublie pas ceci qui est essentiel, si écartant le problème aujourd'hui insoluble de l'authenticité, prenant le recueil pour ce que ceux qui l'organisèrent voulaient qu'il fût, on retient, ce qui est incontestable, que ces paroles furent arrangées dans un monastère et dans un propos d'édification spirituelle, alors se découvre la véritable signification du texte et apparaît du même coup l'image que les contemporains se faisaient d'Héloïse, image singulièrement différente de celle que s'en formèrent les romantiques et que s'en forment encore beaucoup d'entre nous.

Il semble bien d'abord que le recueil fut conçu comme un mémorial, un monument érigé à la mémoire des deux fondateurs du Paraclet, comme il était d'usage d'en élever dans les établissements monastiques. À la manière d'une vie de saint, il décrit leur « passion » : entendons bien, ce que l'un et l'autre ont souffert, les épreuves qui leur furent infligées jusqu'à ce qu'ils parviennent à se vaincre pour accéder finalement à une sorte de sainteté. La correspondance conduit le récit circonstancié d'une double conversion, difficile. Elle montre, en particulier, combien l'on peine à se délivrer du mal, à regretter ses fautes, à s'en repentir. Elle affirme, conformément à la philosophie d'Abélard, pour qui la faute n'est pas dans l'acte mais dans l'intention, que les péchés les plus tenaces ne sont pas ceux du corps mais de l'esprit, que, dans la continence la plus rigoureuse, on reste cependant coupable si l'on ne vient pas à bout de son désir, si l'on ne chasse pas de son esprit le regret des plaisirs refusés.

Ce texte donc est principalement un traité de morale, édifiant comme le sont, à l'époque, les vies de saints et les romans de chevalerie. Il enseigne, en racontant une aventure, à se conduire convenablement. L'intention pédagogique est affirmée d'emblée, dans la première phrase de la lettre I. « Pour exciter ou modérer les passions humaines, les exemples *(exempla)* ont souvent plus d'effet que les paroles. » De fait, l'ensemble des lettres fut mis en forme comme un vaste *exemplum* visant essentiellement à montrer comment la femme est en état de sauver son âme, exposant à cette fin d'abord que le mariage est bon, ensuite qu'il peut servir de modèle à qui se soucie d'instituer un rapport hiérarchique convenable entre hommes et femmes au sein d'un monastère, enfin ce qu'est la féminité, ses défauts et ses vertus spécifiques. Voyons de plus près ces trois points.

*

La femme est faible. Elle ne peut échapper seule à la perdition. Un homme doit l'aider. À défaut d'un père, d'un frère, d'un oncle, il lui faut un mari. Entre autres leçons, la *Correspondance* contient un éloge du mariage. Tout comme, remarquons-le, la réponse qu'Abélard donna au dernier des quarante-deux « problèmes » qu'Héloïse lui posait, acceptant d'avance, dit-elle en présentant ses demandes, « de se soumettre, *en cela aussi*, à son obéissance ». La question du mariage préoccupait donc l'abbesse du Paraclet. Elle préoccupait à l'époque tous les gens d'Église. C'était le moment même où les théologiens se demandaient encore s'il n'était pas dangereux de ranger l'institution matrimoniale parmi les sept sacrements. Le texte que j'analyse prend parti dans ce débat. Il entend mettre en évidence, décrivant un cas précis, les vertus salutaires du mariage. Il commence pourtant sa démonstration en indiquant que certains mariages sont mauvais. Ce fut le cas au départ de celui des deux amants. Mauvais pour trois raisons principales. En premier lieu parce que célébré à la sauvette : une simple bénédiction, à l'aube, devant quelques parents et sans l'assistance nombreuse, joyeuse que requièrent les rites nuptiaux puisque, pour éviter l'inceste, la bigamie, les noces doivent être largement publiques. Mauvais encore parce que l'intention de l'époux n'était pas bonne : Abélard l'avoue, il était mû par la convoitise, par

« l'appétit d'agripper, de retenir cette fille perpé-
tuellement à lui », craignant que ce corps délectable
ne lui fût ravi, entraîné vers d'autres hommes, « soit
par les manigances de la parenté, soit par les séduc-
tions de la chair ». Mauvais mariage, enfin et surtout,
parce que l'épousée le refusait : l'autorité ecclésiastique, en effet, proclamait hautement que le lien
matrimonial doit se nouer par un consentement
mutuel. Ainsi pourri dans sa racine, ce mariage ne
pouvait donc être porteur de grâce comme l'est tout
sacrement convenablement administré. Il ne fut pas
ce que sont les bons mariages, un remède à la
concupiscence. Marié, maître Abélard continua de
brûler de tous ses feux, poursuivant Héloïse jusqu'au
tréfonds du couvent d'Argenteuil, transgressant les
interdits, l'obligeant à commettre avec lui toutes les
« saletés » imaginables. Par conséquent, c'est à bon
droit que Dieu tira vengeance « des conjoints plutôt
que des fornicateurs », qu'il attendit pour sévir que
l'union fût scellée. Il est en effet bien plus grave de
souiller le mariage, chose sacrée, que de copuler ici
et là. Il était juste aussi que l'homme seul fût frappé
d'abord : le mariage l'instituait guide et responsable
de l'épouse.

Cependant, dûment béni, ce mariage était tout de
même un vrai mariage. Aussi la rédemption du
couple s'opéra-t-elle dans le cadre bénéfique de la
confederatio matrimoniale. Par ce « sacrement », dit

Abélard, le « Seigneur avait déjà décidé de nous faire revenir *tous les deux* à lui ». Quand, émasculé, émondé, « circoncis de cœur et d'esprit », régénéré par la vie monastique, Abélard eut pris conscience de ses devoirs d'époux, il entreprit d'entraîner avec lui Héloïse dans son progrès spirituel. Intermédiaire, comme doit l'être un mari, entre elle et la puissance divine. Usant de son pouvoir sur elle, il la tira, subjuguée, derrière lui. L'abbesse du Paraclet le reconnaît dans la première de ses lettres, ce ne fut pas l'amour de Dieu qui l'entraîna, elle obéit à l'homme qu'elle aimait. « J'ai accompli tout ce que tu m'as commandé [...] sur ton ordre aussitôt j'ai changé [...] c'est toi seul qui as décidé. » Tel est bien, d'ailleurs, ce qu'elle réclame encore à l'abbé de Saint-Gildas, qu'il ne cesse pas de la gouverner, qu'il la conduise vers le mieux, lui qui jadis l'initia aux plaisirs coupables. Remarquable est l'insistance du texte à placer Héloïse en position d'épouse soumise. Elle s'y tient d'un bout à l'autre de l'échange épistolaire, dans cette position qui sied aux femmes, la seule qui leur offre quelque chance de se dégager du péché.

Ici se révèle l'intention véritable de cette apologie de la conjugalité. L'éloge du mariage vint appuyer la proposition de changer la règle jusqu'alors suivie au Paraclet. Ne nous méprenons pas, ce que nous ne lisons plus, qui est généralement retranché des éditions modernes, les deux dernières lettres où Pierre

Abélard, après avoir justifié la réforme, livre à Héloïse le projet d'un nouveau style de vie monastique, constitue ce qui comptait avant tout pour les artisans du montage, ce pourquoi, de toute évidence, ces textes furent agencés comme ils le sont. La *Correspondance* répond en effet à cette autre question, brûlante, qui, au sein d'une croissance tumultueuse bousculant les vieilles habitudes, divisait les hommes de prière : comment faire avec le monachisme féminin ? La réponse, disséminée dans le corps de l'ouvrage, se construit sur quatre arguments. Il est bon qu'il y ait des femmes dans la profession monastique : la lettre III rappelle que les plus merveilleuses résurrections dont on lit les récits dans l'Écriture, à commencer par celle du Christ, ont eu pour témoins des femmes, ce qui prouve que, dans le projet divin, les femmes doivent être associées à l'œuvre de résurrection spirituelle. Second argument : il est salutaire que toute communauté de nonnes soit, comme on le voit à Fontevraud, épaulée par une communauté de moines ; il ne faut pas, en effet, exagérer les dangers d'un tel rapprochement ; Abélard, défenseur de Robert d'Arbrissel, montre par l'exemple de Jésus et de ses disciples qu'il est possible et légitime à des hommes de vivre en compagnie des femmes dans la chasteté. Toutefois, troisième point, les dispositions de la règle actuellement en usage au Paraclet — et c'est celle de Fontevraud — rompent l'ordre naturel parce qu'elles placent les hommes sous la domination d'une femme ; saint Paul l'affirme, l'homme est le chef de la femme, parce que, et cette fois c'est Héloïse, une femme, qui le dit, « par sa propre nature le sexe féminin est trop faible ». Quatrième point : les religieuses et celle qui les conduit doivent être placées sous l'autorité d'un homme, comme l'épouse sous celle de son époux. Le modèle conjugal s'impose. L'histoire exemplaire des deux fondateurs est là pour le démontrer. Cependant, afin de parfaire cette démonstration, la *Correspondance* contient encore deux développements, l'un sur les faiblesses foncières de la féminité, l'autre sur ce que doit être l'amour.

Mesure-t-on combien l'œuvre dont je tente de dégager le sens est misogyne ? N'est-elle pas avant tout un discours sur la supériorité fonctionnelle de l'homme, discours dont les arguments les plus véhéments sont très habilement placés dans la bouche d'une femme ? La faiblesse d'Héloïse, la faiblesse des femmes, qui les rend périlleuses (« ô, danger majeur et permanent de la femme », déclame l'épouse d'Abélard) et nécessite de les tenir en bride, c'est tout d'abord cette mollesse de la chair qui les incline à la luxure. Éveillée au plaisir par son séducteur – il n'est pas dit, notons-le bien, dans ces écrits comme dans la lettre de Roscelin, qu'elle ait été forcée, qu'elle se soit montrée plus farouche que les pucelles complaisantes des romans –, la « petite adolescente » devient aussitôt l'esclave des voluptés. Comme Cécile Volanges. Elle s'est laissé prendre, prise désormais comme Cécile jusqu'au profond d'elle-même, captive, depuis les premières expériences, des ardeurs de son corps où se sont enfoncés ces « aiguillons » dont, dix-neuf ans après sa défloration, l'abbesse du Paraclet avoue qu'ils ne peuvent être extirpés. Ils la tourmentent toujours. Le souvenir « des jouissances très douces » dont « les attaques sont d'autant plus pressantes que la nature qu'il assaille est plus faible », « les fantasmes obscènes » de ces plaisirs viennent la faire frémir encore en plein milieu des oraisons. Aveu d'autant plus saisissant qu'il est placé sous la plume d'une abbesse de grand renom et qui n'était plus de toute première jeunesse. Et c'est bien dans cette sensualité exigeante dont le corps des femmes est imprégné que gît le péril pour les hommes. Elle les conduit à leur perte. À peine a-t-il joui de la fillette, maître Abélard est prisonnier, totalement asservi au plaisir.

Peut-être allait-il se tirer du péché par le mariage. Or Héloïse le refusa. Car, si fragiles soient-elles, si vulnérables, abandonnées aux incandescences de la chair, les femmes ont un second défaut, elles sont naturellement indociles, tenant obstinément tête aux hommes qui leur montrent la bonne voie. Dans la controverse par quoi s'inaugure cette apologie de la bonne conjugalité, la jeune Héloïse tient le rôle de

l'avocat du diable. La violente diatribe antimatri-
moniale que lui attribue l'autobiographie supposée
d'Abélard – « propos », c'est le titre de ce chapitre,
« de ladite pucelle contre les noces », un propos
stoïcien, soutenu par des citations de Cicéron, de
Sénèque et que l'abbesse du Paraclet reprend dans
la lettre IV – n'est pas sans rapport, au sein de cet
ouvrage complexe, avec le débat qui passionnait aussi
les intellectuels du XIIe siècle : est-il permis aux clercs
de se marier ou, plus exactement, aux maîtres, à
ceux qui commentent la parole de Dieu ? Prenant
une épouse, ne descendent-ils pas du degré qui leur
est assigné dans la hiérarchie des conditions
humaines ? Héloïse répond sans hésiter : le mariage
dégrade le savant parce qu'il l'asservit à la femme,
à une femme ; la honte *(turpitudo)* pour lui est de
se soumettre *(subjacere)*, d'accepter de s'abaisser. Il
ne faut pas oublier, toutefois, ce que cette condamnation virulente a pour fonction dialectique de sou-
ligner : cette femme, têtue, qui ne cède pas, qui,
devenue religieuse, devenue abbesse, reste dressée et
va jusqu'à invectiver Dieu, est l'obstacle, et les femmes
en général sont des entraves, empêchant l'homme de
s'épanouir. Abélard, tout au long de sa marche, a
traîné Héloïse comme un boulet. Lorsqu'il répond
de loin à son appel, il la traîne encore, car elle ne
s'est toujours pas rendue, et les lettres ont été dis-
posées comme elles le sont dans le recueil, afin de

suivre attentivement les étapes de cette difficile reddition.

Toutes les paroles prêtées à Héloïse, ses cris de révolte, le regret qu'elle exprime des jouissances perdues, ses revendications de liberté n'étaient certainement pas jugées admirables, comme nous les jugeons aujourd'hui. Au xiie siècle, on les percevait comme autant de preuves de son péché et de la mauvaiseté des femmes. Par elles se trouvait exalté le mérite des deux fondateurs du Paraclet, de l'abbesse parce qu'elle avait finalement triomphé de sa féminité, de son mari pour le labeur acharné qu'il avait mené afin de sauver d'elle-même son épouse. Il y était parvenu en favorisant dans le cœur de celle-ci la sublimation de l'amour charnel. La *Correspondance* rejoint, en effet, la méditation de saint Bernard sur l'incarnation, l'affirmation par la mystique cistercienne que l'homme est fait d'abord de chair, qu'il faut donc partir de la chair, saisir en ses sources corporelles la pulsion amoureuse, l'endiguer, en guider patiemment le cours afin qu'elle devienne le moteur d'une ascension spirituelle. La *Correspondance* contient ainsi, à propos de la passion d'une femme, une réflexion sur le bon amour.

À sa naissance, celui des deux amants a quelque chose de cet amour que nous disons courtois. Abélard est, certes, un clerc. Les Parisiennes, cependant, Fouques de Deuil le dit, le voient comme un « chevalier », l'un de ces jeunes célibataires conquérants, ravageurs, tel Lancelot, tels les paladins des romans. Il est très doué, il a tout pour *allicere*, pour attirer à lui, séduire les belles. Les raisons de son succès, Héloïse les révèle dans la lettre II : « Quelle épouse, quelle jeune fille ne te désirait pas absent, ne brûlait pas pour toi présent ! » Parce que tu étais beau, parce que tu étais célèbre, mais surtout pour « deux attraits par lesquels tu pouvais captiver l'*animus* (la part animale) de n'importe quelle femme, d'une part le don de composer des poèmes, celui d'autre part de les chanter. Pour cela surtout, les femmes soupiraient d'amour pour toi ». Abélard ici apparaît en troubadour. Ces chansons que l'on fredonnait dans Paris au début du XIIe siècle – ce qui prouve, en passant, que chanter l'amour au temps de Guillaume d'Aquitaine n'était pas le privilège de l'Occitanie et qu'il est sans doute imprudent d'attribuer à Aliénor et à ses filles l'introduction des manières de l'amour dit courtois dans les cours de la France du Nord –, ces chansons célébraient l'« amie », l'aimée : « Tu mettais le nom de ton Héloïse dans toutes les bouches. »

Cela s'ajuste parfaitement au modèle courtois – y compris le trajet de la séduction, l'échange de regards au début, puis les paroles, les baisers, enfin les jeux de mains – à l'exception cependant de la dernière touche : le poète ne respectait pas la règle de discrétion. Toutefois, la différence profonde n'est pas là. Elle tient à ce que cet amant ne chantait pas, comme Bernard de Ventadour, le désir inassouvi. Son chant ne cessa pas lorsqu'il eut capturé sa proie. Au contraire, il s'amplifia, devint un chant de victoire. « Parce que la plupart de tes poèmes chantaient nos amours, la jalousie des Parisiennes à mon égard, écrit l'abbesse du Paraclet, s'aviva. » Que lui enviaient-elles ? Aucune équivoque : les « jouissances », les plaisirs du lit. Cette façon d'aimer s'écarte très évidemment des manières courtoises en ce que la ferveur se prolonge après le déduit. Sans doute Abélard reconnaît-il dans sa confession que, l'aventure découverte, l'amante expédiée en Bretagne pour y accoucher subrepticement, l'épouse cloîtrée à Argenteuil, la « séparation des corps » rendit plus étroit l'« accouplement des âmes ». Mais aussitôt il corrige : les *gaudia*, les joies de la chair étaient d'autant plus vives qu'elles étaient plus rares. En fin de compte, Étienne Gilson l'a dit, cette histoire est « une affaire d'incontinence ». Elle révèle crûment la vérité des relations entre les sexes aux avant-gardes de la société parisienne : la chanson comme moyen de séduction, la courtoisie comme une parure, comme un voile, mais dissimulant mal la réalité, c'est-à-dire l'appétit de jouir.

Si, dans ce roman par lettres, le désir et le plaisir ne s'atténuent pas lorsque l'homme a joui de celle qu'il poursuivait, c'est que le mariage n'est pas ici comme dans le schéma classique de la courtoisie, et contrairement à ce que prétendait Paul Zumthor en 1979 dans la préface d'une édition populaire de la *Correspondance*, un obstacle interdisant d'aimer dans la joie. La joie des corps ici ne s'éteint pas dans le mariage. Tout au contraire, elle prend plus d'ardeur. Héloïse le reconnaît, après les épousailles, son amour pour lui est devenu fou, et l'amour dont elle parle n'est pas seulement de sentiment. « Si tu m'as tenue si étroitement liée, c'est que je fus toujours la proie d'un amour immodéré. » Je juge remarquable de voir proclamer dans ce texte édifiant, en plein XIIe siècle, à l'époque où la figure de Marie-Madeleine, amoureuse mais pénitente, était utilisée pour réprimer le péché sexuel, que l'attachement physique de la femme à l'homme et cette ferveur qu'entretient le plaisir partagé peuvent venir parachever la fonction régulatrice du mariage, dans la mesure même où le lien conjugal appesantit sur l'épouse le pouvoir de l'époux, « possesseur unique [...] tant de son corps que de son âme ». Mariée, Héloïse ne s'appartient plus. Elle s'est donnée tout entière. Elle n'attend rien en retour, s'appliquant à satisfaire les « voluptés », ou « volontés », de son seigneur, non pas les siennes. En état d'absolue soumission. Assujettie, et c'est à la lumière de cette déclaration qu'il faut interpréter un passage de cette même épître IV. Si Héloïse réclame d'être nommée « concubine ou putain » –

elle reprend le mot rude qu'employait Roscelin – plutôt qu'épouse, c'est pour s'humilier davantage. C'est aussi pour que, sous ce qu'il y a de force, de dignité dans la condition d'épouse, demeurent la tendresse et les abandons joyeux de l'« amie ». Ce qui fait le bon du mariage, c'est donc la soumission de l'épouse, mais associée aux ardeurs de l'amante. À condition que l'amour de celle-ci soit libre, désintéressé. Voici pourquoi l'abbesse du Paraclet dans la lettre II s'est justifiée d'avoir jadis préféré l'amour au mariage, la liberté aux chaînes. Le bel amour, elle le veut exempt de toute convoitise.

Voici la grande leçon de cet écrit spirituel : le mariage peut être aussi le creuset où *amor*, la concupiscence se convertit, se transfigure, devient, sans rien perdre de sa vigueur, *dilectio*, c'est-à-dire élan purifié de l'âme. À cette alchimie préside évidemment le mari, le guide, le maître. Ici Abélard, guéri le premier et malgré lui par les épreuves que lui infligea le Seigneur. Autorisé à enseigner de nouveau après son entrée à Saint-Denis, il ne le fit plus comme autrefois pour la gloire et l'argent, il le fit « pour l'amour de Dieu ». Quant à ce goût violent qu'il avait du corps d'Héloïse, il subit une transmutation semblable. *Cupiditas*, le désir de prendre et de jouir, fit place peu à peu à *amicitia*, à ce don de soi libre, généreux, gratuit – c'est bien à cette gratuité qu'aspire Héloïse –, à cette révérence mutuelle, cette fidélité, cette abnégation que, dans la renaissance humaniste que connut le XIIe siècle, les hommes de culture, relisant Cicéron et les stoïciens, plaçaient si haut dans l'échelle de leurs valeurs. Abélard, directeur de conscience, en vient dans la lettre V, répondant à son attente, à accepter d'appeler « amie » celle qui lui crie qu'elle est sa femme. Il emploie ce mot pour la persuader qu'elle est certes son épouse, mais que son amant, c'est maintenant le Christ, et que lui, le mari charnel, n'est plus là que pour la servir comme le bon chevalier sert sa dame. Il emploie ce mot pour affirmer qu'ils sont unis, comme le dira dans sa lettre Pierre le Vénérable, par « la charité divine », et qu'ils sont « liés plus étroitement maintenant par un amour devenu spirituel » trouvant son accomplissement dans l'amitié. L'amoureuse l'a-t-elle enfin compris, aussitôt elle rend les armes. Elle cesse de lancer ces cris passionnés qu'un lecteur du XIIe siècle, lui, n'en doutons pas, entendait comme l'expression détestable de la fausseté et de la perversité féminines. Elle se tait. « Parle-nous, toi, nous t'écouterons. » Ces mots terminent la dernière lettre de l'abbesse du Paraclet. Ils attestent qu'elle s'est rangée, qu'elle est parvenue elle-même à se châtrer – « Je me suis interdit tout plaisir, pour t'obéir. » Par l'homme à qui elle a jadis livré son corps, dont elle est devenue la femme et dont la *voluntas*, vertu virile, a fini, parce qu'elle est restée amoureuse, par la détourner de la *voluptas*, de cet abandon aux jouissances qui rend les femmes fragiles et dangereuses, Héloïse est sauvée. Et Jean Molinet n'a pas tort de voir en elle, dans le commentaire qu'il fit au xvᵉ siècle de la *Correspondance*, une allégorie de l'âme pécheresse rachetée par la grâce lorsqu'elle accepte enfin de s'humilier.

C'est ainsi que, s'approchant avec précaution de ce texte émouvant, s'appliquant à le lire comme l'ont lu ceux pour qui il fut écrit, l'on voit enfin se résoudre toutes contradictions entre l'Héloïse de la *Correspondance* et l'Héloïse que Pierre le Vénérable s'efforça de réconforter. Héloïse, la vraie, c'est bien la « très sage » du poème de François Villon. La femme savante – ô combien – qui, lorsqu'elle écrivait – si les lettres sont bien d'elle –, choisissait pour mieux se montrer déchirée d'amour de déclamer des vers de Lucain. La femme sensitive, sensuelle, mais dont la sensualité fait la force, car c'est cet embrasement, au tréfonds de sa nature féminine, qui l'entraîne à passer, comme le dit Pierre de Cluny, d'une sagesse profane à la vraie philosophie, c'est-à-dire à l'amour du Christ. Devenant modèle et consolation pour toutes ces nobles femmes qui, d'accord avec leur mari, entraient sur le tard au couvent et dont quelques-unes regrettaient peut-être les plaisirs qu'elles avaient eu la chance de goûter parfois dans le lit nuptial. Modèle aussi pour les hommes. Son histoire, comme celle de Marie-

Madeleine, ne leur enseignait-elle pas, pour les tirer de leur paresse et de leur suffisance, que les débordements de l'amour, jugulés par la vertu, sont capables de rendre un corps de femme, si faible soit-il et si pétri de convoitise, plus pur et plus rigoureux que le leur ?

Iseut

Denis de Rougemont l'a dit, on l'a répété, et c'est vrai : l'Europe du XIIᵉ siècle a découvert l'amour, l'amour profane en même temps que l'amour mystique. Ce ne fut pas sans tourment ni nécessité. Le violent essor de toutes choses déterminait une évolution rapide des mœurs et, dans les cercles les plus raffinés de la noblesse, un problème se posait à propos des femmes, à propos, plus précisément, de la conjonction amoureuse. La haute société perdait de sa brutalité. Un ordre nouveau s'instaurait. Quel espace abandonner à l'amour, à l'amour physique, sans que cet ordre fût troublé ? Quelle place faire au désir et à son assouvissement licite ?

Dans l'une des régions les plus évoluées d'Europe, dans le nord-ouest de la France, cette question s'est posée plus tôt et avec plus d'acuité pour deux raisons. En premier lieu parce que, en ces provinces, l'orientation de la politique familiale dans les dynasties aristocratiques, le soin que l'on y prenait de ne marier

qu'un seul garçon afin d'éviter lors des successions
le fractionnement des patrimoines privaient la très
forte majorité des mâles adultes d'une femme légitime. Jaloux de ceux qui en possédaient une, ils
rêvaient de recevoir eux aussi une épouse, sinon de
la prendre de force. Impatients, ils attendaient l'occasion. Souvent très longtemps. Ainsi, Guillaume le
Maréchal, le modèle du chevalier, était encore céli-
bataire à près de cinquante ans, et la plupart de ses
compagnons le restèrent jusqu'à leur mort. Ils rôdaient
autour des femmes, languissant d'en capturer une.
En un temps où les structures politiques se renfor-
çaient, où les princes s'évertuaient à domestiquer la
chevalerie, à la maintenir en paix, réunie autour d'eux
dans leur cour, dans ces grandes assemblées mondaines remplies justement de femmes, de proies ten-
tantes, une telle presse de poursuivants, fougueux ou
sournois, autour des dames et des demoiselles, était
un facteur de désordre qu'il importait de contenir
par tous les moyens. Or, et c'est la seconde raison,
en ce temps même, durant la seconde moitié du
XIIe siècle, et dans cette partie de l'Europe, l'Église
s'appliquait à christianiser en profondeur la classe
dominante. Condamnant la polygamie et l'inceste,
elle parvenait notamment à faire partager par la
noblesse sa propre conception du mariage. Alors
qu'elle imposait au clergé la stricte continence, elle
entendait, parmi les laïcs, cantonner l'usage du sexe,

inévitable car la survie de l'espèce en dépend, dans le cadre d'une conjugalité resserrée et sacralisée. On voit la contradiction : le mariage était proposé comme le seul lieu où fût autorisé le défoulement des pulsions sexuelles ; le mariage était refusé au plus grand nombre des hommes. Cette contradiction entretenait dans l'esprit de tous les mâles, qu'ils fussent prêtres ou guerriers, la conviction que la femme est dangereuse, qu'elle est ferment de dérèglement et qu'il était urgent de conjurer ce péril en élaborant un code de comportement aménageant au mieux les rapports entre le masculin et le féminin.

D'une telle préoccupation les témoignages abondent, de toutes natures. Ceux qui proviennent de la littérature composée pour les divertissements de la société de cour, donc dans le langage que cette société pouvait comprendre, en langue romane, en « roman », comptent parmi les plus clairs. D'expression orale, touchant son public par l'intermédiaire d'interprètes professionnels, cette littérature était en effet pédagogique. Elle transmettait une morale, la morale qu'entendaient propager les princes mécènes, lesquels entretenaient à cette fin dans leur maison les poètes et montaient les poèmes en spectacle. Presque tous ceux-ci sont aujourd'hui perdus, mais par bonheur les plus admirés d'entre eux ont été transcrits, et par ces quelques textes nous pouvons deviner ce que pensaient et comment agissaient les mondains de cette époque. Car ces romans sont des miroirs où se reflètent les attitudes de leurs auditeurs. Ils les reflètent assez fidèlement parce que, comme les vies de saints, ils avaient mission, en distrayant, d'enseigner à se bien conduire ; aux héros qu'ils mettaient en scène, ils attribuaient donc des sentiments et des postures qui, certes, puisqu'il s'agissait de faire rêver, s'écartaient quelque peu du quotidien, de l'effectivement vécu, mais qui ne pouvaient cependant, pour que ces héros fussent imitables, en paraître trop dissemblables. Ils les reflètent aussi parce que les attitudes des chevaliers de la Table Ronde et celles des femmes qu'ils poursuivaient d'amour furent effectivement imitées. Ceux et celles que cette littérature passionnait inclinaient à mimer leurs manières de penser, de sentir et d'agir.

Entre 1160 et 1180, le plus fécond des ateliers de création littéraire œuvrait dans les cours que tenait le roi d'Angleterre, Henri II Plantagenêt, principalement en Anjou, en Normandie et dans le duché d'Aquitaine, dont, du chef d'Aliénor, sa femme, il était aussi le maître. Dans les réunions qu'il présidait, les modes étaient lancées. Pour réjouir et éduquer les chevaliers autour de lui rassemblés et les jeunes gens dont il surveillait l'éducation dans sa maison, les poètes à son service développaient son point de vue sur un sujet qui touchait tous ces hommes, celui des rapports conflictuels entre la convoitise masculine et son objet, la femme, la femme bien née évidemment, la dame. Ils traitaient ce thème sous diverses formes, soit dans l'effusion lyrique, chantant la « fine amour », l'amour que nous disons aujourd'hui courtois, soit en adaptant des récits empruntés aux auteurs latins classiques, en célébrant à leur manière les aventures amoureuses d'Achille ou d'Énée, soit encore, et c'était s'engager dans la voie la plus neuve, en travaillant la « matière de Bretagne », c'est-à-dire un corps de légendes issues des traditions celtiques.

Des bardes venus de Cornouailles ou du pays de Galles avaient vraisemblablement commencé de réciter ces légendes une trentaine d'années auparavant dans l'entourage du grand-père de Henri II, le roi Henri Ier, lui aussi duc de Normandie. On les y avait accueillis avec la plus grande faveur, un peu comme nous accueillons aujourd'hui chez nous le *reggae* ou la *salsa*, et pour les mêmes raisons : ces récits dépaysaient, ils entraînaient vers un ailleurs, ils surprenaient, ils brisaient des habitudes, invitaient à jeter sur la vie un regard neuf. Les plus fascinantes de ces histoires parlaient de l'amour. Mais d'un amour sauvage, indomptable, d'amour fou. Ou plutôt du désir fou, cette force mystérieuse qui jette l'un vers l'autre un homme et une femme pris d'une soif inextinguible de se fondre dans le corps de l'autre. Une impulsion torrentielle et si puissante, si rebelle à tout contrôle que, comme ces morts inexplicables que l'on expliquait alors volontiers par l'intervention d'un breuvage magique, elle semblait déferler accidentellement, aveuglément, par le jeu d'un sortilège. Au centre de ces récits se plaçaient donc le philtre, les mixtures, les infusions, le « vin herbé », préparés selon des recettes dont les femmes entre elles se transmettent le secret. Advient-il que l'on boive, par hasard, cette potion, elle vous tient dès lors prisonnier. Contre sa puissance nul ne peut rien tant que ses vertus ne se sont pas évaporées. Montrer les effets néfastes d'un désir né de la sorte, et par là ingouvernable, était propre à nourrir, dans la société courtoise, de salutaires réflexions sur l'ordre et le désordre, et spécialement sur ce trouble dont les turbulences de la sexualité sont la cause.

Un phénomène de cristallisation fit se coaguler les éléments épars de la légende autour d'une seule figure héroïque, celle d'un parfait chevalier, Tristan. Une figure, notons-le, masculine. Pour ceux qui les premiers l'entendirent, cette histoire concernait non pas, comme pour nous, Tristan et Iseut, mais Tristan seul : le « roman de Tristan », ce fut le titre qu'ils donnèrent aux ouvrages qui la leur contaient. Cela n'est pas surprenant. La littérature chevaleresque fut tout entière composée par des hommes et principalement pour des hommes. Tous ses héros sont masculins. Les femmes, indispensables au déploiement de l'intrigue, n'y tiennent cependant que des rôles secondaires.

Le récit des exploits de Tristan débute, comme souvent les vies de saints qu'écrivaient les moines de ce temps — et comme l'autobiographie d'Abélard — par l'évocation de l'homme et de la femme qui s'unirent pour engendrer le héros et dont le destin préfigure le sien, puis il se poursuit depuis la naissance du héros jusqu'à sa mort. Sur cette ligne droite s'inscrit l'aventure. Luttant à deux reprises contre des adversaires monstrueux, deux fois vainqueur et, par sa victoire, libérant un peuple de l'oppression, deux fois blessé, Tristan par deux fois fut guéri par une femme. En toile de fond de ces prouesses merveilleuses, la mer, et l'Irlande à l'horizon, lointaine, étrange, le Far West de l'Europe d'alors, où celle-ci projetait ses fantasmes. Est-ce un hasard si, pour captiver leur auditoire, ces hommes de guerre qui, dans leur tendre enfance, avaient été brutalement arrachés à leur mère, à l'univers des femmes, qui menaient dès lors leur vie entre eux, et pour qui le féminin demeurait depuis cet arrachement un territoire de nostalgie et d'étrangeté, les poètes avaient choisi de placer devant Tristan une femme issue d'une contrée brumeuse, et si la mer, dangereuse, capricieuse, lieu des séparations et des passages, tient une telle place dans la fiction ? Tristan est sur la mer, à bord du navire qui le mène en Cornouailles où il conduit Iseut vers son futur mari le roi Marc, lorsqu'il partage avec elle par mégarde le *lovedrink*, l'un de ces breuvages d'amour que les mères attentives concoctaient la veille des noces afin que leur fille soit comblée, quelque temps au moins, dans les bras de son époux. Aussitôt, brûlant de désir, Tristan, sur mer encore, prend Iseut. Incapable désormais de renoncer à cette femme, même lorsqu'elle est devenue celle d'un autre, et malgré l'amour privilégié qu'il porte naturellement au roi, son oncle maternel, malgré les jaloux, toutes les chausse-trapes, emportant sa proie dans la forêt lorsqu'ils sont découverts pour vivre sauvagement l'amour, un amour si violemment fait que les corps, dit le poème, en étaient « malmenés ». De nouveau la mer est là quand, Iseut restituée à Marc, Tristan épouse une autre Iseut, espérant en vain se libérer en elle du désir de la première. Celle-ci, Iseut la vraie, prend la mer lorsque Tristan blessé l'appelle pour qu'elle le guérisse une troisième fois, de la mort et de son désir. Perfide, la mer retient Iseut, et lorsqu'elle peut enfin débarquer, Tristan n'est plus, il s'est laissé mourir.

> *Pour moi avez perdu la vie.*
> *Je ferai, moi, en vraie amie.*
> *Pour vous, veux mêmement mourir.*

Iseut meurt à son tour. Non point de désir mais, comme dit l'ancien français, de « tendrure ».

Le succès du roman fut immédiat, bouleversant, durable. Depuis le lieu où la légende primitive avait été reçue puis élaborée, depuis ce point focal de la culture chevaleresque qu'était la cour anglo-normande, la belle histoire envahit l'Europe entière, à commencer par l'Allemagne, où l'empereur Frédéric Barberousse s'appliquait à implanter les usages de la chevalerie. Vers 1230, en France, furent brodées sur sa trame les arabesques infinies, chatoyantes, d'un interminable *Tristan* en prose. Un demi-siècle plus tard, l'Italie à son tour se laissait prendre au charme de l'amour tristanesque. Ce charme a conservé sa vigueur au cours des siècles. Il est loin aujourd'hui d'être éteint. L'histoire de Tristan, tout le monde en est d'accord, s'établit solidement au cœur même d'une mythologie spécifiquement européenne.

Il convient de saisir cette histoire à la source pour la goûter dans son primesaut et, donc, de se tourner vers les traces les plus anciennes qui subsistent du récit, vers les poèmes dont Henri Plantagenêt, alors qu'il s'employait à soumettre l'Irlande, favorisa l'éclosion dans les années soixante-dix du XIIᵉ siècle, au temps où se poursuivait la construction du chœur de Notre-Dame de Paris, où Benedetto Antelami sculptait une déposition de Croix pour la cathédrale de Parme, où se répandait l'hérésie vaudoise, quelques années avant la naissance de François d'Assise. De ces ouvrages poétiques, rimés dans le dialecte français que l'on parlait de part et d'autre de la Manche entre gens du monde et qui malheureusement n'est plus aujourd'hui directement lisible, sinon par des philologues avertis, nous ne conservons que des morceaux, sauf un lai de Marie de France, où se déroule, élégamment relaté, un seul épisode de l'histoire. Cette histoire, Béroul et Thomas, auteurs des plus importants fragments, l'ont-ils jamais racontée d'un bout à l'autre comme elle l'est dans la saga que frère Robert rédigea sur l'ordre du roi Haakon de Norvège ? En tout cas, du récit qu'ils ont l'un et l'autre composé demeurent seules aujourd'hui, le fait est remarquable, les péripéties les plus troublantes, les mieux capables d'émouvoir l'auditoire car elles montrent, en proie au fol amour, un homme et une femme.

*

Au fil du temps, l'attention s'est insensiblement déplacée vers la figure féminine, vers le personnage d'Iseut qui, dans l'opéra de Wagner, dans le film de Jean Cocteau, finit par éclipser celui de Tristan, alors que, dans ce qui était un « roman de Tristan », toute la lumière se projette sur le héros masculin, et l'on peut même se demander si le public ne vibrait

pas autant, sinon davantage, lorsque l'on décrivait
devant lui, minutieusement, les exploits militaires
de ce parfait chevalier, qu'en entendant les poètes
chanter son furieux désir et ce lien qui l'attachait
inexorablement à son amante. Quoi qu'il en soit, je
ne connais pas une œuvre littéraire profane datant
du xiie siècle où la femme occupe tant de place dans
l'intrigue, où le personnage féminin soit décrit avec
autant de discernement, de subtilité et, il faut bien
le dire, de délicatesse, caressé par les mots qu'a choisis
l'auteur. Cette position éminente, Iseut la doit aux
effets du philtre. De ce breuvage, elle aussi a bu.
Elle l'a partagé avec Tristan, ce qui non seulement
la précipita dans les bras du héros, mais – et voici
ce qui rendait l'aventure déroutante – les a placés
l'un et l'autre devant le désir dans une égalité que
niait alors tout un système de valeurs subordonnant
obstinément le féminin au masculin. Sans doute,
cette égalité, les penseurs les plus hardis de ce temps
la réclamaient-ils pour les époux dans le moment
où ceux-ci concluaient, la main dans la main, le
pacte matrimonial. Abélard n'allait-il pas même jusqu'à déclarer qu'ils se retrouvaient dans une semblable parité après les noces, chaque fois qu'ils
entraient nus dans le lit conjugal ? Iseut, il est vrai,
n'est pas l'épouse de Tristan. Pourtant, elle est son
égale, à l'encontre de toutes les convenances, de
toutes les prescriptions, de toute la morale sociale,

et c'est pourquoi nulle part, dans tous les témoignages venus de cette époque, les questions qui préoccupaient la noblesse quant à la condition des femmes ne sont posées avec plus d'insistance et de liberté.

Les poètes qui traitèrent le thème de Tristan se souciaient de plaire. À leur patron d'abord, à leur public ensuite. Ils s'efforcèrent donc tous de présenter à travers le personnage d'Iseut une image de la femme qui s'accordât aux fantasmes des gens de cour. Il est certain qu'ils surent toucher des cordes sensibles, sans quoi que resterait-il de leur œuvre ? Ces vers que, pour les décliner, l'interprète tirait de sa mémoire lors de chaque présentation de l'ouvrage, ces mots volant de bouche en bouche, avaient toute chance de se perdre. Si nous pouvons les lire encore, c'est qu'ils ont plu et que l'histoire qu'ils racontent a passionné ceux qui l'écoutèrent. Voici pourquoi la relation de cette aventure offre de quoi reconstituer, avec moins d'incertitude que par d'autres biais, une image qu'il est fort difficile de percevoir, l'image que l'on se faisait de la femme et de l'amour, vers 1170-1180, dans ces avant-postes de la sophistication sociale qu'étaient les cours anglo-normandes. Et puisque chacun des auteurs, Thomas, Béroul et les autres, imagina Iseut à sa manière, lui prêta certains sentiments, un certain ton, certaines attitudes, utilisant encore, pour montrer la féminité sous tous ses aspects, deux personnages secondaires, la suivante de la reine et l'autre Iseut, l'épouse du héros, la femme apparaît dans ces poèmes sous de multiples faces, si bien que l'historien parvient même à distinguer les différents regards que les hommes portaient alors sur elle.

À tous, jeunes ou vieux, mariés ou célibataires, aux femmes de la cour aussi, Iseut présentait une figure exemplaire de la féminité. Iseut est une dame. Davantage : c'est une reine. Elle a mené royalement sa carrière de femme. Fille d'un roi, héritière d'un royaume, son père et sa mère l'ont donnée à un autre roi. Dans la fleur de sa jeunesse, elle trône aux côtés du maître en ce lieu central de la cour princière vers quoi convergent tous les regards, tous les dévouements, toutes les convoitises. Iseut est belle. C'est la plus belle « d'ici aux marches d'Espagne ». Son visage rayonne de lumière : clarté des yeux, éclat des cheveux d'or, fraîcheur du teint. Du corps, les poèmes célèbrent l'élégance, mais ils ne le montrent pas. Pudiques, ils n'en détaillent pas les charmes, jamais. En effet, lorsque la reine parade parmi les chevaliers pour la joie de la cour, son corps laisse deviner seulement sa souplesse sous la parure splendide, celle-ci amplement décrite, et qui, masquant ces formes, en avive encore les puissances de séduction. Et lorsque est évoquée la statue que Tristan, éloigné d'Iseut, fit tailler, semblable aux images de saintes et de reines que l'on commençait en ce temps à dresser aux porches des cathédrales de France, pour, dans une sorte de sanctuaire de la fine amour, fixer sur cette effigie sa dévotion à l'amante inaccessible, la description, cette fois encore, s'arrête au manteau. Ce qui plaît d'ailleurs dans ce corps, c'est la robustesse de sa charpente. N'imaginons pas pour Iseut la flexibilité gracile que l'on voit aux Vierges sculptées au XIVe siècle, aux élégantes qui minaudent dans les vergers des *Très Riches Heures*. Elle est d'une beauté rude. Les guerriers et les chasseurs qui furent les premiers éblouis par cette femme imaginaire aimaient le ferme, le dru. Ils attendaient de leurs compagnes endurance et vigueur. Ils les souhaitaient capables de chevaucher interminablement et, comme le fit Iseut dans le poème, de briser les dents d'un conseiller perfide par l'un de ces coups de poing dont les maîtresses de maison de ce temps punissaient communément l'indocilité de leurs servantes. Iseut est bâtie pour donner à son mari de très vaillants, de très fringants rois futurs. Ce serait là son accomplissement. Car, pour une société dont les structures dynastiques constituaient l'armature, la féminité n'atteignait la plénitude que dans la maternité. Maternelle, Iseut l'est, par un trait du personnage hérité des légendes celtiques. Dotée d'une puissance mystérieuse, elle calme les douleurs, elle berce, elle guérit, consolante comme cette mère dont les chevaliers adolescents gardaient le désir insatisfait enfoui au tréfonds de leur être et dont ils eussent aimé que la dame, l'épouse du seigneur chargé de leur formation, vînt tenir la place. Mais, bien sûr, aucune allusion n'est faite dans le récit à une possible fécondité d'Iseut. Il était exclu qu'on en parlât. La structure de l'intrigue l'interdisait, ainsi que l'opinion commune, souhaitant ardemment que la femme adultère fût frappée de stérilité, à la fois pour sa punition et pour éviter la bâtardise, dont la crainte obsédante hantait alors l'esprit de tous les chefs de famille.

Parce qu'elle est adultère, parce que le roi Marc n'est pas le seul à tirer plaisir de son corps, Iseut montrait aux chevaliers si nombreux à qui l'on n'avait pas donné d'épouse une image propre à les séduire, celle de la parfaite partenaire du jeu d'amour. Prompte à s'enflammer, se laissant volontiers conduire sous la « courtine », à l'abri des rideaux du lit, elle craint certes la colère de son homme, elle tremble, mais son goût du plaisir l'emporte. Bravant le péril, déjouant les embûches, discrète, elle échappe aux regards malveillants. Est-elle découverte, elle use alors d'astuce. Elle sait mentir. Elle ment bien, jouant sur les mots pour n'être point parjure. Elle ridiculise les maris dont le tort est d'être jaloux, de surveiller de trop près leur femme. À tous les jeunes aventuriers rêvant, nouveaux Lancelot, de tirer subrepticement jouissance de ces corps désirables dont ils devinaient les attraits sous le manteau des dames refusées, Iseut plaisait. Elle plaisait en raison de sa perversité.

C'est ici que nous devons prendre garde de ne pas nous méprendre en lisant ce roman, comme en lisant les lettres d'Héloïse. Tristan est le héros, sympathique. Mais le personnage d'Iseut, dont la fonction dans le récit consiste à mettre en valeur les vertus viriles, ne l'était certainement pas pour les auditeurs du XIIe siècle autant qu'il l'est pour nous. On ne remarque pas assez ce que l'histoire contenait de comique. En écoutant Béroul, les gens de cour s'esclaffaient. Ils riaient du roi cocu – et sous le visage de Marc transparaissait celui de Louis VII. Ils riaient des tours pendables que lui jouaient les deux amants. Mais je doute qu'ils aient pris toujours le parti d'Iseut. Beaucoup et, en premier lieu, bien sûr, les hommes mariés, n'applaudissaient-ils pas lorsqu'ils entendaient Brangien, la suivante, vitupérer sa maîtresse, dénoncer le fol amour, la mauvaiseté, la putasserie, reprocher au roi Marc son indulgence coupable : il aurait dû se venger, conduire au bûcher la traîtresse et défendre au moins son honneur. « Tricheresse », « lécheresse » : la fausseté au service de la luxure. Iseut la « guivre », la vipère. En elle s'incarne le danger qui vient des femmes, ce mal, ce ferment de péché, dont toutes les filles d'Ève, inévitablement, sont porteuses, la part maudite de la féminité. Pour les compagnons d'Henri Plantagenêt, la femme était aussi cela, la fragilité, une irrépressible inclination à s'abandonner au plaisir. Tristan pense comme eux. Il n'en doute pas : Iseut la blonde est heureuse, ardente, entre les bras du roi Marc ; ce qu'il lui faut, c'est un mâle. Par dépit, croyant qu'il lui suffira du plaisir pour le guérir de son désir, Tristan décide de prendre lui-même une épouse. Évidemment, il se trompe. Loin de s'éteindre, « le désir qu'il a de la reine » le prive de tous ses moyens face à la jolie pucelle qui, dans la couche nuptiale, attend fébrilement d'être prise. Qui ne supporte pas le fiasco, le « retraire », qui rage d'être négligée et brûle à la fois de honte et de désir inassouvi. Un désir féminin, plus tumultueux, vindicatif.

> *Colère de femme est redoutable* [...]
> *Elles savent mesurer leur amour*
> *Mais non point tempérer la haine*

Iseut aux blanches mains, frustrée, jalouse, trompeuse comme elles le sont toutes, précipite l'époux inutile dans la mort par un mensonge. Tristan est tué par sa femme, comme en ce temps nombre d'hommes mariés craignaient de l'être, par cette inquiétante, cette insatisfaite qui chaque soir regagnait leur couche. Le succès de la légende tint à ce qu'elle associait la critique à l'apologie et, exaltant dans Iseut le charme des amours furtifs, n'en dénonçait pas moins ce qu'il y a si souvent de nuisible dans les épouses, répondant ainsi à cette anxiété latente qui ne travaillait pas seulement les maris mais tous les hommes, confrontés aux mystères de la sexualité féminine.

Cependant, riche de multiples sens, l'histoire de Tristan, telle qu'on la racontait au XIIe siècle, ne s'en tient pas là. Exploitant, comme le fait Béroul, le thème du philtre, elle pose, devant une société que le développement de la prédication ecclésiastique et l'usage plus fréquent de la confession sensibilisaient à ce problème, la question de la responsabilité. Ce désir réciproque, de l'homme pour la femme et de la femme pour l'homme, résulte ici d'un poison absorbé par erreur, involontairement. Dans ces conditions, de quoi ceux que la passion emporte sont-ils coupables et qui peut raisonnablement les condamner? Tristan et Iseut se savent innocents. Ils sont persuadés que Dieu les aime et les aide. Dans la forêt, l'ermite les confirme dans cette conviction. Du désir, ravageur, nul n'est responsable. Nul n'est pécheur. Ne le sont donc ni les chevaliers qui poursuivent les dames, ni les épouses qui se laissent aller à trahir leur seigneur et maître. Nous sommes tous asservis au désir, et cette servitude est pesante. De leur amour, Tristan et Iseut sont en fait prisonniers, de cet amour violent que le poète se garde bien de dire joyeux. Lorsque, après trois années, se dissipa l'effet du philtre, ce fut pour eux un soulagement. Ils avaient fini par se l'avouer ; depuis trois ans ils « usaient leur jeunesse dans le mal ». Elle regrettait « le nom de reine, les beaux atours, tant de suivantes qui naguère la servaient dans sa chambre ». Tristan regrettait la chevalerie, mais aussi, car lui a du cœur, d'avoir entraîné sa compagne dans la « mauvaise voie ». « Délivrés » de l'amour fou, comme d'une étroite prison, ils se mirent à respirer.

Les hommes que l'histoire captiva désiraient tous Iseut. Par moments, elle les indignait. À d'autres moments n'avaient-ils pas pitié, en fin de compte, de cette fille que le meurtrier de son oncle avait un jour emportée au-delà des mers pour la conduire dans le lit d'un homme qu'elle ne connaissait pas, pitié de cette femme désormais traquée, divisée contre elle-même, partagée, comme entre ces deux lions qu'elle vit en songe, assoupie après l'amour dans la tiédeur des heures chaudes, la déchirant, écartelée entre deux forces antagonistes d'égale puissance, le désir et la loi. Iseut pitoyable, Iseut victime de son propre feu et du feu que sa seule présence attisait parmi les mâles qui la côtoyaient sans cesse et dont quelques-uns dormaient la nuit, dans une obscurité propice, à quelques pas de sa couche ?

Enfin, lorsque, s'adressant, dit-il, « à tous les amants [...], aux pensifs et aux amoureux, à ceux que tiennent

l'envie, le désir, aux voluptueux et aux pervers »,
Thomas reprit la légende, il s'efforça d'en concilier
l'enseignement à celui que dispensait un autre genre
littéraire, la chanson courtoise, et d'accorder l'amour
sauvage, contracté comme une mauvaise fièvre par
l'absorption du « vin herbé », à cet amour que célébraient les troubadours. Le philtre n'était plus pour
lui qu'un symbole et le désir cessait d'être simple
pulsion physique. Thomas proclamait que la femme
n'est pas simplement ce corps que l'on brûle de
caresser en cachette et que tenir un corps n'est rien
si l'on ne tient aussi le cœur. Il insista donc, dans
la dernière partie du poème, sur le dédoublement
du personnage d'Iseut. Iseut la blonde, celle dont
Tristan s'est emparé jadis sur le navire, est pour lors
éloignée, confisquée ; son corps est absent, tout entier
au pouvoir du mari. Tristan a dans son lit le corps
d'une autre femme, son épouse. Elle porte le nom
d'Iseut ; elle est aussi belle qu'Iseut ; c'est son double.
Tristan la désire. La loi du mariage lui impose de
prendre ce corps offert. L'amour l'en empêche. Car
l'amour, l'amour « fin », le bel amour, n'est pas
recherche de la jouissance, assouvissement du désir
charnel. Il est ce désir sublimé, transféré dans l'union
indissoluble de deux cœurs. Aux chevaliers et aux
dames qui l'écoutaient, Thomas proposait en fait une
religion nouvelle, celle de l'amour. Objet d'un culte
– ce culte que l'on voit Tristan, dans la chambre

voûtée, rendre à la statue qu'il a fait sculpter. Iseut, la lointaine, la séparée, pour mériter la dévotion dont elle sait que son amant l'entoure, s'impose de porter, comme les ascètes du christianisme, sous sa robe, à même la peau, une chemise de fer. Cette version de la légende enseignait par là que l'amour s'enrichit d'épreuves, que, comme l'amour pour Dieu, il exige des renoncements, que par l'amour, un amour nécessairement enraciné dans la chair, l'homme peut s'élever de degré en degré jusqu'aux effusions ineffables. Au même moment, dans les monastères cisterciens, les mystiques dont plus tard s'inspira Dante ne découvraient pas autre chose. Or, s'élevant jusqu'à ces hauteurs, l'amour, l'amour réciproque de l'homme et de la femme, se place résolument au-dessus de la loi. Maîtrisant les forces obscures du désir charnel, les amants cessent d'être prisonniers, victimes. Ils cessent aussi d'être innocents. Ils sont pleinement responsables ; ils assument leur passion, envers et contre tout, jusqu'à la mort. Cet amour-là, lui non plus, n'est pas heureux. Car il est impossible. Il manque inexorablement son but. Mais il est cependant victoire, dans le dépassement de soi. Voici ce qu'un grand poète affirmait en 1173. Croyez-vous que l'on soit allé depuis beaucoup plus loin ?

Juette

En 1172, une fille nommée Ivette, ou plutôt Juette, vivait à Huy. Dans cette petite ville de l'actuelle Belgique, alors en pleine expansion économique, l'argent coulait à flots. Juette avait treize ans. C'était l'âge où l'on mariait les filles. Son père, receveur des impôts que l'évêque de Liège levait dans le pays, était riche. Il prit conseil de sa parenté et choisit pour elle un époux.

Juette n'a pas compté dans l'histoire. Elle est très loin d'avoir occupé dans l'esprit des hommes, ses contemporains, la place que tenaient Aliénor ou Héloïse. J'évoque cependant son image parce que le récit de sa vie s'est conservé. Un religieux de Floreffe, maison de l'ordre de Prémontré, l'écrivit vers 1230. Il était bien informé : l'abbé de son monastère venait de recevoir la dernière confession de la mourante, et lui-même avait été son confident. Il l'avait écoutée parler. Il s'est efforcé de rapporter fidèlement ce qu'il avait entendu. Par lui, par cette biographie consciencieuse, fourmillant de détails précis, un écho nous parvient des paroles d'une femme. Transformées, certes, par le passage de la langue vulgaire au latin d'école, par les préjugés du transcripteur, par les exigences du discours hagiographique. Perceptibles cependant, comme celles de ces « saintes matrones » que l'on commençait de vénérer en quelques provinces d'Europe au tournant des XIIe et XIIIe siècles, à l'époque où, Jacques Dalarun l'a dit et prouvé, le christianisme commençait de se féminiser. Cela fait le prix du témoignage, et toute locale qu'ait été cette aventure féminine, elle en dit long sur ce que les hommes de ce temps pensaient des femmes.

Au centre de l'histoire exemplaire qu'il compose à l'intention des frères de son ordre et des dévots dont ceux-ci gouvernaient la piété, l'auteur place le récit d'une vision dont son héroïne avait été gratifiée et qu'elle avait révélée à son confesseur. Une nuit, après avoir longtemps prié, pleuré, elle s'était vue devant un homme courroucé qui s'apprêtait à la punir pour une faute qu'elle avait autrefois commise. En cet homme, elle reconnut évidemment le Christ. Près de lui, une femme d'une grâce merveilleuse était assise. La coupable, dans son désarroi, avait tourné vers elle ses yeux baignés de larmes. La Vierge alors, se levant, s'inclinant, avait obtenu que le Juge pardonnât et lui remît la pénitente pour qu'elle fût désormais sa servante, sa protégée, sa fille. Notre-

Dame auprès de son Fils, implorant sa miséricorde, l'image est fort banale. On la voyait partout, sculptée ou peinte, les prédicateurs l'évoquaient dans leurs sermons. Ne nous étonnons pas de la voir apparaître dans les divagations d'un esprit tourmenté. Elle fournit en tout cas la clef de ce tourment, elle éclaire tout le destin de Juette. Celle-ci s'était sentie soustraite par l'intervention d'une femme au formidable pouvoir masculin. Elle avait en même temps découvert quel était le péché oublié qui pesait sur sa conscience : il lui était arrivé de souhaiter la mort de son mari.

*

Cette femme venait de mourir en odeur de sainteté. On ne pouvait pas pourtant lui attribuer la vertu de ces championnes de la chasteté dont on célébrait en ce temps les exploits, rapportant qu'elles avaient âprement défendu leur virginité. Juette ne s'était pas enfuie de la maison paternelle pour échapper au mariage. Elle n'était pas non plus parvenue à convaincre son époux de ne pas la déflorer et de poursuivre à ses côtés dans la chasteté la vie commune. Docile, cette enfant s'était laissé donner, elle s'était laissé prendre et, comme tant de pucelles livrées jeunettes aux brutalités de l'accouplement, elle ne s'en était jamais remise. Cinq années durant, elle avait dû supporter le « joug » conjugal, s'acquitter de la « dette » avec dégoût, subir le fardeau des grossesses et les douleurs de l'enfantement. En cinq ans, elle avait mis au monde un enfant, qui ne vécut guère, puis un autre, puis un troisième. Des garçons, hélas, de petits mâles encore, dont il fallait prendre soin. C'était là le sort commun des femmes. Juette du moins eut de la chance : le mari mourut enfin.

Elle se crut délivrée. Mais elle restait appétissante et sa dot encore plus. Des prétendants la convoitaient. Ses parents, c'était normal, entendaient l'utiliser à nouveau pour conclure une alliance profitable et s'apprêtaient à la remettre au plus offrant. Elle résista cette fois, refusant de retomber en esclavage. Le père suppliait, menaçait, elle ne voulait rien entendre. À bout de ressources, il se tourna vers son patron, l'évêque. L'évêque fit comparaître l'insoumise devant sa cour, imposante assemblée d'hommes, de clercs en surplis, de chevaliers en armes. Tremblante, elle s'obstina. Comment pouvait-on la forcer, dit-elle, à prendre un nouvel époux ? Elle s'en était donné un elle-même, et meilleur : le Christ. La défense était imparable. Il existait dans l'Église un ordre particulier, l'ordre des veuves. L'Église, méfiante à l'égard des secondes noces, honorait les femmes qui, fatiguées du mariage, choisissaient de finir leur vie dans la continence. L'évêque s'inclina. Il bénit Juette. Elle était libre.

Non point toutefois au bout de ses peines. L'état de veuve consacrée imposait de suivre assidûment les offices religieux et, bien sûr, de se tenir à l'écart des hommes. Une femme mûre, aguerrie, et dont les ardeurs tiédissaient, pouvait sans trop de peine se plier à la règle. À dix-huit ans, Juette était plus vulnérable. Satan résolut d'en profiter. Il commença par se mettre lui-même en travers de sa route. Lorsqu'elle quittait sa maison avant l'aube pour se rendre aux matines, elle le voyait apparaître au coin des rues sous de multiples formes, toutes terrifiantes. À coups de signes de croix, elle triompha de cette première épreuve. Le diable mit alors en œuvre l'arme dont il se servait communément pour perdre les femmes. Un homme, proche parent de leur père défunt, exerçait la tutelle des deux orphelins ; à ce titre, il visitait fréquemment la jeune veuve. Il la désira, hésita quelque temps à se déclarer, craignant le qu'en-dira-t-on. Lorsque enfin il avoua sa passion et entreprit d'attaquer, Juette, indignée, le rembarra, le sermonna, et tint désormais ses distances. Mais un soir, des cousins l'invitèrent à dîner et la retinrent pour la nuit. Le galant se présenta ; on le retint aussi. Elle frémit. Dans les demeures du xiie siècle, même les plus cossues, il n'existait pas de lieu clos où l'on pût trouver refuge ; dès que les feux étaient éteints, les femmes seules s'y trouvaient exposées aux convoitises des hommes qui partaient en chasse, à tâtons, d'une couche à l'autre. La compagnie dormait au premier étage. Prudente, Juette se fit dresser un lit au rez-de-chaussée et prit avec elle une compagne. Anxieuse, elle veillait. Elle ne pouvait, sans scandale, sans perdre l'honneur, appeler à l'aide ni se sauver dans la rue. Comment éviter le viol ? Percevant au craquement du plancher l'approche du ravisseur, elle supplia, dernier recours, la Vierge Marie. Bien lui en prit. Cette fille, harcelée, au cerveau peuplé de fantasmes, vit alors, descendant l'escalier, non pas celui qu'elle redoutait, mais la Mère de Dieu qui répondait à son appel. Lui ne mérita pas de voir l'Immaculée. Mais il entendit le bruit et s'en alla, penaud, se recoucher. L'apparition annonçait la vision que j'évoquais tout à l'heure d'une femme splendide s'interposant en protectrice entre les femmes et la violence masculine. Satan de nouveau était vaincu.

Du moins lui restait-il un dernier moyen de corrompre. Non plus le sexe, mais l'argent. Juette en était bien pourvue et confiait ses revenus à des marchands pour qu'ils les fassent fructifier dans les affaires. C'était mal. Dieu n'aime pas que l'on s'enrichisse à ne rien faire sur le dos des consommateurs et par les profits du négoce. Toutefois, la bourgeoisie de Huy tenait ce péché pour véniel. Pour s'en racheter, il suffisait, prétendait-elle, de faire des aumônes. Juette en faisait. Elle en faisait trop. Son père, craignant de voir ses petits-fils appauvris, déchus du

rang où les plaçait leur naissance, lui retira l'admi-
nistration de ses biens que, trop prodigue, tête folle
comme le sont toutes les femmes, elle dilapidait,
vidant peu à peu la maison de tout ce qui pouvait
se vendre.

Juette fut alors envahie par le sentiment d'être
salie inexorablement. Comment retrouver l'inno-
cence, revenir aux temps heureux de son enfance ?
Comment échapper enfin à tous les hommes qui la
malmenaient, qui la tiraient vers la faute, à son père,
à ses fils, aux parents regrettant de n'avoir pu la
remarier, aux chanoines libidineux dont les regards
et les mains parfois s'égaraient sur le corps des
dévotes, à tous les mâles qui continuaient de tourner
autour d'elle ? Après cinq années de veuvage, elle
décida de se retirer du monde.

Pour un homme, c'était facile. Il pouvait partir
en pèlerinage, à la croisade, ou bien entrer dans un
monastère ; on en trouvait beaucoup, et d'excellents,
comme ceux de l'ordre cistercien. Mais les femmes ?
Impossible pour elles de prendre la route sans être
aussitôt agressées. Les couvents de religieuses étaient
encore très rares et, pour s'y faire admettre, il fallait
être noble. Par bonheur, dans cette région, depuis le
milieu du xiie siècle, les bourgeoisies prospères, hos-
tiles au clergé local qui les exploitait, inquiètes de
leurs richesses mal acquises, s'étaient forgé, en marge
de l'Église établie, de nouveaux instruments de rachat

collectif. Elles entretenaient par l'aumône deux sortes
de victimes expiatoires, d'une part les reclus, des
hommes, des femmes surtout qui, enfermés pour la
vie dans une cellule, portaient désormais les péchés
de la ville et les purgeaient par la rigueur de leurs
abstinences, d'autre part les lépreux, eux aussi cloîtrés,
et les bonnes âmes qui, imitant Jésus, se dévouaient
à leur service, récoltaient ainsi les grâces nécessaires
au salut de la communauté urbaine. Une léproserie
était implantée dans la banlieue de Huy. C'est là
que Juette, à vingt-trois ans, vint chercher la paix
et le soulagement de ses obsessions. Excessive, elle
ne se contentait pas de soigner les malades, elle
mangeait dans leur gamelle, buvait à leur pichet, se
plongeait dans l'eau de leur bain, s'imprégnait de
leur sanie, rêvant, dit son biographe, de voir la lèpre
ronger son corps dans l'espoir que son âme serait
par là purifiée de toute infection. Sans souci de ses
deux garçons, l'aîné placé tout jeune dans une école
qui le préparait à la vie monastique, le cadet, livré
à lui-même, tournant mal, ne s'occupant plus que
d'argent et de filles, Juette mena dix ans cette vie
active. Puis, toujours insatisfaite, elle choisit la
contemplative et se transféra de l'ordre des veuves
dans l'ordre plus méritoire des recluses. Le passage
s'opérait par des rites dont l'évêque était normale-
ment l'officiant. Le siège épiscopal étant vacant, Juette
fut bénie par un abbé cistercien du voisinage qui fit

murer derrière elle la seule porte d'une petite maison
attenante à la chapelle de la léproserie. Elle n'en
sortit plus jamais. Elle y demeura trente-sept ans et
ce furent trente-sept ans de règne.

Juette n'avait pas renoncé au confort bourgeois
bien ordonné, et son biographe, allant au-devant des
critiques, croit bon de prôner les mérites de la mesure,
de la discrétion contre les excès d'ascétisme. Ce qu'elle
voulait, c'était la solitude. Pour mieux se protéger
des sollicitations extérieures, elle avait fait emmurer
avec elle une servante. Cette auxiliaire, attentive à
lui épargner toute fatigue corporelle, se tenait au rez-
de-chaussée devant la petite fenêtre. Elle accueillait
les quémandeurs, écoutait, transmettait les messages.
Sa maîtresse, établie à l'étage, comme Charlemagne
l'était dans sa chapelle d'Aix, comme le Christ et la
Vierge sur les tympans que l'on décorait aux porches
des cathédrales, descendait de temps en temps de
son perchoir. D'ordinaire, elle y trônait, inaccessible,
toute-puissante. Elle ne voyait plus d'homme, sinon
quelques religieux très austères, prémontrés, cisterciens, qui parfois la visitaient, et les deux ou trois
prêtres desservant l'église de la léproserie. Ces derniers l'importunaient parfois. Le bruit courut que
l'un d'eux, dont on s'étonnait qu'il la fréquentât de
si près, était tombé amoureux d'elle. Juette en rougit
et fit aussitôt comprendre que les appétits de ce mâle
se portaient en vérité sur l'une de ses suivantes. Elle

avait rassemblé sous sa coupe, en effet, une large compagnie de femmes, toute une cour de jouvencelles recrutées depuis l'enfance, qu'elle nourrissait, qu'elle éduquait, adoptées, traitées comme les filles qu'elle n'avait pas eues et qu'elle s'appliquait à détourner du mariage, s'acharnant à les garder « intactes », protégeant ces agnelles contre les loups qui les guettaient.

Son ascendant tenait avant tout à ce qu'on la savait visionnaire : elle voyait ce que le commun des mortels ne voit pas. Depuis longtemps. Bien avant qu'elle n'entrât en réclusion, l'une de ses domestiques l'avait surprise un matin en extase. Dès qu'elle fut enfermée, ses visions se multiplièrent. À vrai dire, elle en parlait peu et toujours à bon escient. Mais les femmes qui l'approchaient rapportaient la trouver en transe, inanimée, puis, lorsqu'elle revenait à elle, s'agitant, criant comme une accouchée, soupirant, dit le pieux biographe, montrant par là qu'il n'était pas sans expérience, « comme une femme en mal d'amour » : il semblait qu'on l'arrachât à des jouissances indicibles. La rumeur se répandit que, ravie de la sorte, transportée hors de son corps, elle s'en allait visiter les demeures célestes. Un beau jour, elle l'avoua, elle y rencontra saint Jean l'Évangéliste. Célébrant lui-même la messe, fractionnant l'hostie devant ses yeux, il l'avait initiée au mystère de la transsubstantiation. Mais ce fut la seule fois qu'elle conversa là-haut avec un homme. D'ordinaire, c'était une femme, Notre-Dame, qui l'accueillait, qui la prenait dans ses bras. Ce fait, on le sent bien, n'est pas sans gêner celui qui tient la plume et relate les merveilles advenues à cette voyante dans l'espoir de la faire admettre parmi les saintes. Il devine ce que diront les détracteurs : l'illuminée, dont il rapporte complaisamment qu'elle refusait toute emprise masculine, ne s'était-elle pas tenue trop éloignée de la personne du Christ ? Alors, dans un long chapitre, il entreprend de démontrer que, Marie et Jésus étant indissociablement unis « par la chair et les os », s'attacher à l'une est forcément s'attacher à l'autre. D'ailleurs, au cours de ses excursions dans l'au-delà, la mal mariée ne se voyait-elle pas, superbement parée comme une fiancée, conduite en cortège vers l'Époux sublime, celui qui ne violente pas le corps des épouses, pour des noces délectables, les seules dont une femme puisse être pleinement satisfaite ?

En tout cas, dans tout le pays de Liège, on tenait la recluse pour un médium, un étonnant intermédiaire entre le visible et l'invisible. Sur ce don se fondait sa puissance. Comme la grande Hildegarde de Bingen, tout récemment disparue et dont le souvenir demeurait vivace, on la croyait capable de percer les secrets du Tout-Puissant. Femme, elle n'avait pas reçu l'instruction qui permet d'approcher le texte de l'Écriture. Elle disait pourtant se reconnaître parfaitement parmi la hiérarchie des anges qui l'escortaient vers le lieu de son mariage mystique et discerner les vertus spécifiques des pierreries parsemant la robe nuptiale dont elle était par eux revêtue. Aussi la pressait-on de questions. Explique-nous ce que sont les trois personnes dans l'unité divine. Songes-tu, quand tu es transportée dans la cour céleste, à implorer miséricorde pour nous, tes parents, tes amis ? Habilement, elle se dérobait. Lorsque l'Esprit m'enlève dans les hauteurs, répondait-elle, je me sens fondre entièrement dans l'inconnaissable, je perds toute notion des choses terrestres ; au retour, je ne puis exprimer en langage humain ce que j'ai perçu dans l'éblouissement.

D'ailleurs, ça n'était pas cette connaissance intransmissible des mystères qui l'investissait sur ses proches et alentour d'un pouvoir analogue à celui qu'exercent aujourd'hui les devins et les mages sur bon nombre de nos contemporains, c'était une faculté plus inquiétante, celle de découvrir les fautes secrètes d'autrui. Aux pécheurs, elle prédisait les peines qui leur étaient promises. Ce chanoine usurier, cette bourgeoise folle de son corps, elle les avertissait : s'ils ne s'amendaient pas, ils seraient précipités en enfer ; elle avait vu des flammes sortir du sexe de la fornicatrice. Rien ne lui échappait. Telle fillette, sa pupille, lorsqu'elle s'approchait de la Sainte Table, tournait-elle ses regards, non pas vers l'Eucharistie, mais vers le joli prêtre qui la distribuait : elle le savait. Tel jeune moine gardait-il sous son oreiller le fichu reçu d'une cousine en gage amoureux : elle le savait. Telle dévote de son entourage courait-elle secrètement la prétentaine : elle le savait. Et ce prêtre qui lui refusait la communion dont elle était friande, elle savait aussi qu'il couchait avec une prostituée. Elle lisait dans les cœurs et ceci la rendait redoutable. Ceux qui ne se sentaient pas tout à fait purs n'osèrent bientôt plus l'approcher. Ils se confiaient à sa servante. Mais ils avaient beau chuchoter à voix très basse, Juette, là-haut, invisible, à l'affût comme une araignée dans sa toile, était avertie de tout. Qui pouvait dire, sinon quel châtiment du ciel, du moins quel scandale dans la ville son étrange clairvoyance n'allait-elle pas bientôt déclencher ?

Sur les femmes, les pouvoirs de la devineresse agissaient, semble-t-il, pleinement. Elle les contraignait à faire pénitence, à renoncer aux joies du corps. Une fois prises, elles ne parvenaient pas à se soustraire à son empire. Un jour, une des jeunes filles réunies auprès d'elle s'évada à la suite d'un clerc qui l'avait enjôlée. Au bout de six mois, tirant parti du réseau de reclus et de recluses répandus de ville en ville, Juette réussit à repêcher la fugueuse, très loin, dans la cité de Metz. La brebis égarée revint au bercail. Miraculeusement protégée par les prières de sa patronne, elle n'avait pas perdu son pucelage. Tout au long de son escapade, elle avait pourtant partagé la couche de son compagnon. Celui-ci l'avait respectée. Il n'avait même jamais vu sa peau nue.

Mais les hommes, eux, se montraient beaucoup plus rétifs. Comme ce mauvais prêtre qu'elle avait démasqué, l'un de ceux qui, dormant dans la grande église de Huy, avaient coutume d'attirer dans leur lit à l'aube les pieuses paroissiennes et, craignant d'être dénoncés, les empêchaient de se confesser, certains des mâles qu'elle morigénait, un moment ébranlés, promettaient de se corriger. Mais ils retournaient vite à leurs plaisirs. Un partage ainsi s'opérait : d'un côté les femmes, embrigadées, subjuguées, consentantes, de l'autre les hommes, accusés, condamnés, incorrigibles. La lutte acharnée que menait la recluse contre toutes les convoitises charnelles, mais avant tout contre la luxure, contre le péché de chair qui l'obsédait, prenait ainsi l'allure d'un affrontement toujours plus âpre, d'une guerre entre les sexes.

Il faut dire que, dans cette région, un mouvement dont les historiens perçoivent mal les causes s'amorçait. Au sein de la société bourgeoise, plus fluide que l'ancienne aristocratie, on voyait des femmes de plus en plus nombreuses, des adolescentes, des veuves et même des épouses, en quête de plus d'indépendance, commencer de se grouper en communautés d'autodéfense, sous la forme de petits cercles de dévotion. Juette profita de ce mouvement. Elle le canalisa vers la léproserie. Elle fit de celle-ci, sous sa lourde domination, comme une citadelle de la liberté féminine, et cette institution, vers quoi affluaient les aumônes et qu'environnait une révérence craintive, se posa au fil des ans en rivale toujours plus inquiétante de l'Église officielle. Le pouvoir de la recluse minait ainsi peu à peu celui des chanoines, celui des clercs, bref, le pouvoir masculin. Cette matrone, cette reine abeille blottie dans sa cellule, gouvernant d'une main rude une cohorte de fanatiques de la virginité, en vint à ne plus douter de rien. Une nuit, Marie-Madeleine n'était-elle pas venue la prendre par la main, pour la conduire aux pieds du Christ ? Juette n'avait-elle pas à son tour entendu les paroles rassurantes : « Tes péchés te sont remis parce que tu as beaucoup aimé » ? À sa mort, dont elle connaissait à l'avance le jour et l'heure, la Vierge, elle en était sûre, l'accueillerait elle-même et l'établirait parmi les dames de sa cour en paradis. Sur l'échiquier politique, cette femme devenait une pièce maîtresse. Les religieux des monastères réformés, les Prémontrés, les Cisterciens, eux-mêmes rivaux du clergé urbain, s'en aperçurent. Ils s'efforcèrent de l'attirer dans leur camp, de l'encadrer. Ils s'employèrent aussi à la défendre.

Car elle était attaquée. Ses adversaires ripostaient. Ils disposaient d'armes efficaces. Ils pouvaient d'abord tabler sur une incrédulité assez communément partagée par les hommes. Les visions de Juette, ce qu'elle racontait lui être révélé la nuit dans les moments de somnolence, toutes ces histoires d'extase, d'apparitions, rien n'obligeait de les prendre au sérieux. En quoi différaient-elles des boniments dont tant de charlatans, courant les villages et les bourgades, se servaient en ce temps pour abuser les âmes simples, les « petites vieilles », les paysannes ? Les esprits forts ricanaient, et, lisant le biographe, on le devine persuadé qu'il aura beaucoup de peine à les convaincre. En outre, en pleine croisade contre les Albigeois, on avait beau jeu de taxer d'hérésie cette femme qui, refusant l'entremise des prêtres, se prétendait, gavée d'hosties, en communication directe avec le Saint-Esprit. Pour la disculper, et pour l'utiliser, il fallait faire reconnaître sa sainteté. C'est à quoi justement s'employa, racontant sa vie, le religieux de Floreffe.

Il échoua. On ne voit pas qu'une fois morte Juette ait fait l'objet d'un culte. Il eût fallu persuader les hommes. Or les hommes se tenaient sur leur garde. Ils savaient bien qu'il leur fallait maintenant compter avec les femmes. De celles-ci, ils se méfiaient donc davantage. Ils jugeaient bon qu'elles craignent l'enfer et qu'elles soient étroitement dominées. Mais par eux. Et qu'elles n'aillent pas servir d'exemple à ces fillettes rebelles que l'on voyait maintenant trop souvent refuser le garçon à qui leur père entendait les donner. Des recluses, il y en avait trop. L'évêque de Liège rejeta la requête des suivantes de Juette qui réclamaient d'être enfermées comme l'avait été la défunte, espérant hériter sa puissance, cette puissance qui avait un moment fait trembler la ville et menacé l'ordre social. La société se défendit. La visionnaire fut oubliée. Le pouvoir, le vrai, demeura en mains masculines.

Dorée d'Amour et la Phénix

Celles-ci ne sont pas des dames. Elles ne le sont pas encore, elles vont l'être. Pucelles, elles sont saisies par l'amour. Par amour elles deviennent dames, et l'amour, le bel amour demeure. Ces deux images de femmes, en réalité, n'en font qu'une ; de la première, simple esquisse, la seconde vient préciser les traits, aviver les couleurs. En effet, *Cligès*, le roman de Chrétien de Troyes où ces deux images apparaissent, est construit comme les vies de saints et comme *Tristan* : l'histoire du héros s'y trouve précédée par celle de ses parents qui la préfigure. Phénice aime Cligès, qu'elle épousera, tout comme Dorée d'Amour, avant d'épouser Alexandre, père de Cligès, l'aima.

Au fil des six mille sept cents vers du poème, l'intrigue, complexe, cascadante, procède par ressauts et merveilles. Ses personnages, comme les figures emblématiques ornant les salles où les princes festoyaient parmi leurs amis, sont juchés au plus haut degré des hiérarchies terrestres : Phénice est fille de l'empereur d'Occident, Alexandre et Cligès, héritiers de celui d'Orient, Dorée d'Amour est sœur de Gauvain, le meilleur chevalier du monde. L'aventure enfin se déploie d'un bout à l'autre de l'univers alors connu, depuis la Bretagne, la grande, celle du roi Arthur, en passant par la petite, l'Armoricaine, et par l'Allemagne impériale jusqu'à la Grèce, la Grèce d'Ovide dont Chrétien a adapté *L'Art d'aimer*, la Grèce imaginaire du *Roman de Troie*, la Grèce fascinante des parfums, des soieries somptueuses, de tous les enchantements, Constantinople dont rêvaient les chevaliers d'Europe trente ans avant que leurs descendants n'aillent s'emparer de la ville lumière, la saccager, faire main basse sur ses bijoux et ses reliquaires au cours du plus mirobolant pillage dont le Moyen Âge ait conservé la mémoire. Je passe sur ce qui touche ici à l'art militaire, bien que la relation attentive des faits d'armes s'étale sur la plus grande partie du récit, laquelle n'était certainement pas la moins prisée d'un auditoire d'hommes de guerre, *aficionados* de la joute, du duel, du tournoi, mais dont se délectaient également les demoiselles que l'on voit aussi friandes de beaux coups de lance et d'épée, de cuirasses rompues et de têtes coupées, aussi pressées que les chevaliers de

> [...] *monter aux galeries,*
> *aux créneaux et aux fenêtres*

Dorée d'Amour et la Phénix

pour voir et pour regarder
ceux qui doivent s'affronter.

Comme tous les romans de chevalerie, le *Cligès* relève de la littérature sportive. Son thème majeur est bien pourtant l'amour. De celui-ci, l'écriture enjouée, limpide, printanière de Chrétien décrit très délicatement les progrès.

Elle les suit d'abord dans le cœur d'Alexandre qui, parti se former aux vertus chevaleresques à la cour arthurienne, y rencontre Dorée d'Amour, la désire, l'obtient en récompense de ses exploits. Elle les suit dans le cœur surtout des deux filles, et l'aventure prend tout son piquant lorsque Cligès entre en scène. Dans son parcours amoureux, le héros se heurte en effet à beaucoup plus d'obstacles que son père. Alis, frère d'Alexandre, a écarté celui-ci du trône. Il a toutefois juré de ne pas se marier : Cligès ainsi lui succédera. Or un parti alléchant se présente, une fille d'empereur, disponible, Phénice. Aussitôt, rompant le pacte, Alis part accompagné de son neveu chercher la future épouse. Dans la grande salle du palais allemand, ce fut comme une apparition. Empressée, la pucelle

> [...] *est venue*
> *chef découvert et tête nue*
> *et la lueur de sa beauté*

répand aussi grande clarté
qu'eussent fait quatre escarboucles.

Éblouissement. Phénice et Cligès, de toute évidence, sont faits l'un pour l'autre. Sous un jour que les nuages assombrissent, ils sont si beaux, si rayonnants que la lumière émanant de leur couple fait, autant qu'un soleil vermeil, resplendir le palais tout entier. L'amour brusquement éclos au sein de ce flamboiement, comment faire pour qu'il s'épanouisse, comment venir à bout de ce qui le condamne ? Comment empêcher que la jeune fille ne tombe au pouvoir de cet autre homme qui, dans le moment même, la reçoit des mains de son père ?

Par la magie, les sortilèges. Par des charmes dont les plus efficaces sont bien sûr byzantins et dont Thessala, native de Thessalie, nourrice de Phénice, connaît les secrètes recettes. Le breuvage que cette femme compose et que Cligès administre le soir des noces à Alis fait que celui-ci tire effectivement vive jouissance du corps de son épouse, mais en songe seulement, qu'il n'étreint que du vent et que la mariée reste vierge. Encore faut-il, pour qu'elle puisse appartenir à Cligès, lorsque celui-ci revient de Bretagne, armé lui aussi par Arthur, dénouer le lien qui la retient. Autre potion. Celle-ci confère à Phénice l'apparence d'une mourante, bientôt d'une morte. Des médecins flairent le subterfuge, tourmentent son corps pour l'amener à se trahir. Elle tient bon. Entre au sépulcre, en sort et, renaissant en vrai phénix de ses cendres prétendues, s'en va, dans le verger d'un château de rêve dont nul ne connaît l'entrée, goûter le plaisir pendant plus d'un an dans les bras de son amant. Alis meurt enfin. Suivent aussitôt les noces couronnant le parfait amour.

Chrétien de Troyes a très ostensiblement présenté son roman comme l'antithèse de *Tristan*. L'image de Phénice vient ainsi en exacte contraposition de celle d'Iseut. Dès qu'elle s'éprend de Cligès, Phénice, dominant son propre désir, se défend âprement. Je refuse, lui dit-elle, qu'on se souvienne de nous comme d'Iseut et de Tristan,

> *dont on dit tant de folie*
> *qu'il m'est honteux de raconter.*

Je refuse de mener la vie qu'Iseut mena, avilissante, puisqu'elle partagea son corps entre deux hommes, ne livrant son cœur qu'à l'un d'eux.

> *Si je vous aime et vous m'aimez*
> *jamais on ne vous appellera Tristan*
> *et je ne serai jamais Iseut.*

Afin que la contradiction soit évidente, Chrétien a repris pour son roman certaines armatures du

Tristan. Il s'agit dans les deux poèmes d'un neveu, de l'épouse d'un oncle, de passion amoureuse entre des filles à marier et des chevaliers célibataires, et c'est en pleine mer que l'amour d'Alexandre se révèle. Enfin, il est aussi question de philtre. Cependant, première différence, les amants sont d'âge nettement plus tendre : Chrétien le précise, Cligès n'a pas quinze ans. Il est tout juste nubile, comme l'est Phénice, comme Dorée d'Amour l'était. L'amour surtout n'est pas ici l'effet d'une de ces mixtures que concoctaient les femmes. Il naît de regards échangés : « Ses yeux lui baillent et prend les siens. » Par les yeux pénètre la flèche que l'amour a décochée, ce dard dont les pennes sont les « tresses dorées » et qui n'est autre, en fait, que le corps de l'aimée. Tout le corps, le front, les yeux, le clair visage, la petite bouche riante, les dents d'argent et d'ivoire, ce que laisse entrevoir de la gorge « plus blanche que neige fraîche » le fermail retenant les plis de la tunique. Et puis le reste. Quelle violence aurait le dard si l'on pouvait le voir tout entier découvert, s'il sortait de son carquois, « du bliau et de la chemise » !

> *Voilà le mal qui me tue*
> *c'est le dard et c'est le rayon,*

ce trait qui perce jusqu'au cœur. Le cœur était tranquille, puisque « ce qu'œil ne voit, cœur n'en

156

souffre ». Il s'enflamme et se met à souffrir. Blessé,
mais d'une blessure plaisante, de cette douleur douce,
de ce tourment délicieux dont nul ne souhaite être
guéri. Sans défense, le cœur est pris, capturé. Que
faire alors ? Avouer sa flamme à celle, à celui dont
la vue a déclenché le trouble ? Attention : il faut
prendre garde à ne pas transgresser les règles. Point
de rapt par conséquent, point d'adultère. Anti-Tris-
tan, Cligès se retient de requérir d'amour Phénice
tant qu'il la croit femme de son oncle. Quant à elle,
dès qu'elle sent fermenter l'amour, elle lutte vail-
lamment contre elle-même, s'interdisant de désirer
s'unir charnellement à cet homme qui vient de
prendre son cœur :

> *Comment pourrait avoir le corps*
> *celui à qui le cœur s'abandonne*
> *si mon père à autrui me donne*
> *et si je n'ose contredire.*
> *Et quand celui-là sera le seigneur de mon corps*
> *s'il en use malgré que j'en aie*
> *il n'est pas juste que ce corps en accueille*
>   *un autre.*

Et lorsque plus tard Cligès lui propose de l'enlever,
elle refuse avec violence :

> *Jamais vous n'aurez délice de mon corps*
> *autre que celui que déjà en avez.*

À moins, ajoute-t-elle tout de même, que vous ne parveniez à me « désassembler » de votre oncle : il n'est pas permis à l'amour, se portant à son terme charnel, de briser la conjugalité licite. Mais alors, dans le verger clos, Cligès et Phénice sont-ils restés vraiment chastes ? Quand « l'un et l'autre accolent et baisent » ? Qu'ont-ils fait avant qu'on ne les surprenne, « dormant ensemble nue à nu » ? En vérité, la faute en ce point est-elle si grave ? Ce que le roman interdit n'est pas faire l'amour, c'est prendre l'épouse d'un autre, c'est trahir son mari. Or Phénice « est à tort appelée dame ». Elle ne l'est pas : elle n'a encore livré son corps à personne. L'homme qui se croit son époux n'a jamais pris d'elle son plaisir qu'en rêve. Doit-on tenir pour vrai mariage un mariage non consommé ? D'ailleurs, la belle alors passe pour morte : pour tout le monde Alis est veuf. Enfin, ils se sont donné leur cœur et ce don mutuel suffit à sceller leur union. En tout cas, que le mariage soit l'accomplissement et comme le rebondissement de l'amour est bien la leçon du roman. Il s'achève sur cette leçon. Épousée, Phénice ne fut pas recluse sous la protection des eunuques comme le sont les femmes en Orient. Car son mari n'eut jamais à se défier d'elle. Il aima sa dame comme on aime une amie, elle l'aima comme on doit aimer son ami, « et chaque jour leur amour crût ».

Le poème n'enseigne pas que cela, et c'est pour

une plus forte raison que je place ici la double image de Dorée d'Amour et de Phénice. Du « roman de Cligès », le héros, c'est vrai, est un homme. Comme son père Alexandre, il est fameux, il acquiert gloire et amitiés par sa prouesse et sa largesse dont sont très amplement décrits les effets. Pourtant, le cours des événements est entièrement gouverné par des femmes. Par les comparses, par la reine de Bretagne d'abord, qui la première découvre l'amour naissant d'Alexandre et de Dorée d'Amour. Elle les voit pâlir ; on est en mer ; le vaisseau est secoué par les flots ; elle n'est pas sûre. Bientôt, pourtant, lorsque, à terre, elle les observe de nouveau côte à côte,

> [...] *bien lui semble*
> *par les muances des couleurs*
> *que ce sont accidents d'amour.*

Persuadée, elle décide alors de conjoindre l'un à l'autre ces jouvenceaux qui n'ont osé avouer qu'ils s'aiment. Assise entre eux deux, elle leur révèle que « de deux cœurs ils n'ont fait qu'un ». Elle les exhorte : qu'ils ne se laissent pas aller à l'amour débridé, de passion et de violence, mais que

> *par mariage et par honneur*
> *ils s'entr'accompagnent ensemble.*

159

Le garçon donne son consentement, la fille « à lui s'octroie en tremblant ». La reine les prend dans ses bras et « fait de l'une à l'autre don ». Un tel geste, de telles paroles sont ceux qui, à l'époque, nouaient à eux seuls le lien matrimonial. Cependant, c'était à un homme, soit à Gauvain, frère de l'épousée, soit au roi Arthur, marieur attitré des orphelines, qu'il eût incombé de procéder au rite. Dessaisis par une femme de leurs prérogatives, ils se sont contentés d'approuver.

Dans la seconde partie du roman, une autre femme intervient et de manière plus décisive : Thessala, la duègne, la « maîtresse » de Phénice. À l'instar de Trotula, la légendaire guérisseuse, elle connaît tous les remèdes. Magicienne, comme les femmes le sont toutes un peu, elle compose philtres, potions, onguents et s'en sert, on l'a vu, pour berner l'époux de sa protégée, pour annuler le fâcheux mariage. Des femmes encore, plus d'un millier, guidées par la Thessalienne, envahissent le palais, arrachent aux médecins la fausse morte et jettent les tortionnaires par les fenêtres :

Jamais mieux ne firent nulles dames.

Enfin, dans les lents progrès de l'amour, ni Alexandre ni Cligès ne font le poids devant celle qui les a séduits. À ces très jeunes filles l'initiative appartient presque toujours. Dorée d'Amour voulait garder son cœur, il est pris. « Tout égarée », elle tente en vain de le reprendre : vaincue, elle sait fort bien qu'il est indécent aux femmes de faire les avances en amour : « Tant attendrai qu'il s'aperçoive. » Pourtant, le désiré ne pipant mot, elle se risque, impatiente, à l'aborder en lui donnant le nom d'ami, c'est dire qu'elle se rend, la première. Phénice aussi est la première à dévoiler sa passion. En dépit d'elle, cependant, et malgré sa retenue. Elle observait de loin le duel où Cligès, son champion, s'était engagé. Elle le voit fléchir. Elle est

> [...] *tant ébahie*
> *qu'elle crie « Dieu, à l'aide »*
> *du plus haut qu'elle peut*

avant de tomber les bras en croix, pâmée. Aiguillonné, Cligès se ressaisit, l'emporte. Lorsque, partant pour l'Angleterre, il vient prendre congé d'elle, il ose enfin se déclarer, encore qu'à mots couverts. Mais, à son retour, c'est elle qui lui fait don de ce qu'il convoite et qu'il se défendait de toucher avant qu'elle ne lui concédât : son corps.

> *Mon cœur est à vous, mon corps est à vous* [...]
> *quand mon cœur en vous se mit*
> *le corps vous donna et promit.*

Toutefois, menant toujours le jeu, Phénice décrète :
ce corps, Cligès ne l'aura pas tant qu'elle demeurera
au pouvoir légitime d'un époux.

*

Chrétien de Troyes exalte hautement la valeur du
mariage. Il propose que l'amour en soit le prélude
et le vivifiant ferment. Il affirme qu'il est interdit
de saper cette institution fondamentale. D'autre part,
les femmes qu'il met en scène tiennent en main tous
les fils de l'intrigue amoureuse. Or Chrétien évidemment entendait plaire à son public. Il répondait à
ses attentes. Nous sommes donc obligés de penser
que ceux qui l'écoutaient se représentaient d'une
façon nouvelle les rapports entre masculin et féminin.
J'ai longtemps combattu, et durement, l'hypothèse
d'une promotion de la femme à l'époque féodale
parce que les arguments avancés pour soutenir cette
hypothèse ne me semblaient pas convaincants, et je
me suis appliqué, à propos d'Héloïse, à propos
d'Aliénor notamment, à démontrer leur fragilité.
Devant l'image de la reine, de Thessala, devant celle
de Dorée d'Amour et de Phénice, je cède. Il est
incontestable que les unes et les autres ne sont pas
de ces êtres mineurs, privés de raison, de ces cavales
que les guerriers soumettaient, méprisants, à leur
plaisir avant de les mettre au rancart lorsqu'ils les

jugeaient usées. Il est incontestable que le poème montre en exemple aux « bacheliers », aux jeunes chevaliers sans femme, un mode de comportement fort différent de celui qu'on a coutume d'attribuer aux amants courtois. Sans doute les femmes sont-elles destinées à tomber, vaincues par l'amour, le désir de l'homme, et par leur propre désir. Mais les hommes sont invités à ne plus s'amuser avec celles des autres, à ne pas prendre de force la vierge qui les tente, à ne l'attaquer que sûrs de son accord et, si elle est consentante, à ne la prendre qu'en bonne et due forme, faisant de cette amie une épouse. Il est admis que le *Cligès* fut composé en 1176. Faut-il croire que les mœurs se modifiaient alors dans la haute aristocratie de France ? Oui, elles changeaient, et voici quelques-unes des raisons susceptibles d'expliquer ce changement.

En 1176, la vie des chevaliers ne se passe plus entièrement à fourbir des hauberts, à courir les bêtes sauvages, s'entrecogner, à plonger dans une cuve d'eau brûlante un corps martelé d'horions. Le progrès de toutes choses les a lentement civilisés. Dans la cour des grands princes, où s'écrivent romans et chansons, où s'élaborent les formes policées des relations entre les sexes, il apparaît de plus en plus nécessaire que les guerriers cessent, un moment au moins, de se montrer ravageurs. L'ordre qui peu à peu se met en place en ces lieux où hommes et femmes vivent quelque temps ensemble et ce code, ce recueil de prescriptions instituant ce que l'on appelle alors courtoisie, exigent de ces hommes la maîtrise de soi. Contenir ses pulsions, son désir, ne plus ravir brutalement sa proie. Le prince apprend donc aux jeunes réunis autour de lui, par l'entremise des littérateurs qu'il entretient, à se tenir correctement parmi les dames. Ce qui ne laisse pas de les embarrasser : comment s'y prendre avec ces êtres intimidants, étranges ? Au fond, il n'est pas mauvais qu'ils les craignent, à la façon dont Cligès craint Phénice. « Douter. » « Qui veut aimer doit douter. » Mieux vaut voir ces garçons devant elles un peu benêts, empruntés,

> [...] *agenouillés*
> *pleurant tant que leurs larmes mouillent*
> *leur bliau et leur hermine*

plutôt que, tel Tristan, rejoignant d'un saut nuitamment leur amie dans la couche de leur oncle et seigneur.

L'année 1176 est aussi, en France du Nord, le moment du vrai décollage de l'économie marchande. L'argent circule désormais de plus en plus vite, non plus par petits ruisselets intermittents, mais en larges courants qui s'en vont irriguer jusqu'au plus profond des campagnes. Les fortunes de la noblesse profitent de cet élan général. Les surplus de l'agriculture, ce que les maîtres tirent des moulins, des fours, des pressoirs, de la dîme, toutes les denrées qui s'accumulent dans les granges et les caves seigneuriales se vendent de mieux en mieux. Les ménages de dépendants paysans se multiplient, et l'on préfère dans les chaumières s'acquitter en deniers des services et des redevances. À cet apport de monnaie s'ajoutent les gratifications que les princes, à la tête d'États reconstitués, fondés sur une fiscalité efficace, distribuent largement pour se faire mieux aimer de ceux qui acceptent de les servir. Ainsi, se restreint la place qu'occupait la terre dans les fortunes de la noblesse. Elles deviennent plus fluides, assouplies. Il est moins malaisé de partager entre des héritiers le contenu d'un coffre que les biens-fonds hérités des ancêtres. Cela fait se décrisper l'attitude des chefs de maison à l'égard du mariage des garçons. Ils hésitent moins à laisser les puînés fonder leur propre foyer, ils achètent de quoi les établir, puisant dans leur bourse si l'argent apporté en dot par la fille qu'ils ont choisie pour eux ne suffit pas. Par là se réduit rapidement le nombre des hommes de guerre que la politique matrimoniale des lignages vouait au célibat. Les futurs chevaliers savent maintenant qu'ils ont toute chance de recevoir une femme. Voici pourquoi les divertissements amoureux tendent à ne plus se déployer seulement en marge de la conjugalité. On se prend à penser que les rituels de l'amour à la courtoise constituent une heureuse préparation à l'union matrimoniale et que celle-ci prend plus de solidité lorsque les époux s'aiment comme des amants. Cela fait se transformer le regard porté sur les femmes. Les hommes voient en elles, beaucoup moins passives, de vraies associées avec lesquelles ils doivent compter et qui, même s'ils sont bien loin de les considérer comme leurs égales, méritent du moins d'être traitées par eux, pucelles ou dames, selon les règles. Ces règles de civilité que le roman a fonction d'enseigner en même temps qu'il enseigne aux filles à ne point s'abandonner et à respecter les lois du mariage.

Il faut ajouter qu'en 1176, sous la houlette du pape Alexandre III et par le fruit des réflexions poursuivies dans les écoles parisiennes, ces lois achèvent de prendre corps. Et Dorée d'Amour qui, conformément aux préceptes des prêtres, s'engage

> [...] *sans mettre à part*
> *ni volonté, ni cœur, ni corps,*

qui, parce que selon l'Église le seul but du mariage doit être la procréation,

> [...] *se trouve pleine*
> *de semence et de graine d'homme*

moins de trois mois après ses noces, et dont enfin le chagrin est si vif que, son époux mort, « après lui vivre ne peut », offre bien le parfait exemple du comportement que la société des cours aussi bien que l'autorité ecclésiastique attendaient désormais des dames.

Voici donc six (ou sept) dames dont les silhouettes sont fort différentes. Cependant, dès que l'on superpose ces six images, on voit se préciser les trois traits majeurs qui pour les contemporains de ces femmes définissaient la situation du féminin dans l'ordre du monde.

Pour eux la femme d'abord est un objet. Les hommes la donnent, la prennent, la jettent. Elle fait partie de leur avoir, de leurs biens meubles. Ou bien, pour affirmer leur propre gloire, ils l'exposent à leurs côtés, pompeusement parée, comme l'une des plus belles pièces de leur trésor, ou bien ils la cachent au plus profond de leur demeure et, s'il est besoin de l'en extraire, ils la dissimulent sous les rideaux de la litière, sous le voile, sous le manteau, car il importe de la dérober à la vue d'autres hommes qui pourraient bien vouloir s'en emparer. Il existe ainsi un espace clos réservé aux femmes, étroitement contrôlé par le pouvoir masculin. De même, le temps des femmes est régi par les hommes, qui leur assignent au cours de leur vie trois états successifs : filles, nécessairement vierges ; épouses, nécessairement soumises à leur étreinte car leur fonction est de mettre au monde leurs héritiers ; veuves, nécessairement retournées à la continence. Subordonnées dans tous les cas à l'homme, conformément aux hiérarchies qui, selon le plan divin, constituent les membrures de la création.

Toutefois, les femmes ne se laissent pas si facilement dominer, les hommes du xiiᵉ siècle en font l'expérience, et c'est pour cela qu'ils les craignent. Les craignant, ils les jugent naturellement mauvaises. Rétives, ils se croient le devoir de les dresser, de les apprivoiser, de les conduire. Ils se jugent responsables de la conduite des femmes. Astreints, par conséquent, à punir les fautes qu'elles sont enclines à commettre. À les tuer s'il le faut. À les tenir du moins, comme le fut Aliénor, en étroite prison. Par tous les moyens leur nocivité native doit être contenue. La femme, ils en sont en effet persuadés, porte en elle le péché et la mort. On ne sait pas ce qu'elle a dans la tête, elle glisse entre les doigts comme une anguille. Elle ment.

Elle est trompeuse parce que faible. *Fragilis*, je reprends le mot d'Héloïse, tel est le dernier des traits qui caractérisent sa nature. Frêle, mais tendre aussi, fondante. Et c'est ici que se révèle en elle un peu de positif. Il y a tout de même dans le féminin une valeur, cette pulsion dont le ressort est dans la chair et qui porte à aimer. Saint Augustin l'a dit – et l'on sait de quel poids pesa au XIIe siècle la pensée de ce Père de l'Église sur celle des hommes de haute culture. Il l'a dit dans le commentaire qu'il composa de la Genèse à l'encontre des manichéens, livre II, chapitre XI. Glose éblouissante : tout est là en quelques mots, une réflexion profonde sur le *gender*, sur les rapports entre le masculin et le féminin, elle porte sur la phrase : *mulier in adjutorium facta. Adjutorium*, une aide, Ève comme un outil placé par Dieu dans la main d'Adam. Pour quoi faire ? Pour engendrer. Non seulement des garçons et des filles. Pour un engendrement spirituel : les enfants, ce sont les bonnes œuvres. À cette fin, l'homme, lui-même éclairé par la sagesse divine, doit diriger *(regere)* et la femme obéir *(obtemperare),* sinon la maison, sens dessus dessous, court à sa perte. Cette hiérarchie, cependant, saint Augustin l'intériorise, méditant sur le verset biblique : « Il les créa mâle et femelle. » Ce verset établit que, dès l'origine, du masculin et du féminin se trouvent à la fois dans la créature humaine. Lorsque Dieu a prélevé une partie du corps d'Adam pour modeler celui d'Ève, lorsqu'il a créé ainsi le couple conjugal, le modèle du mariage, instituant l'épouse en auxiliaire obéissante de l'époux, il a rendu manifestes les structures de l'âme. De

même que celle-ci domine le corps, de même en elle
le principe masculin, la *virilis ratio*, la raison virile,
se soumet la *pars animalis* par quoi l'âme commande
au corps, l'*appetitus*, le désir. Cette part est la part
féminine, laquelle, *adjutorium*, doit aider dans la
soumission. Dieu a montré qu'il faut à l'intérieur
de chaque personne humaine comme un mariage,
l'accouplement ordonné du principe mâle et du
principe femelle, la chair consentant à ne point
opposer le désir à l'esprit, le désir s'inclinant devant
la raison, et l'âme cessant de la sorte d'être alourdie,
tirée vers le bas par le poids du charnel. L'an-
thropologie que fonde la réflexion de saint Augustin
invite ainsi tout homme à considérer qu'il existe
en lui une part de féminin, que Dieu l'y a mise
pour l'aider à s'élever vers le bien, donc que
l'« appétit », le désir, a du bon lorsqu'il est convenablement gouverné. Mais, et c'est là l'essentiel, la
femme, selon le propos augustinien, n'est pas toute
animalité. Elle détient une portion de raison.
Moindre évidemment : en elle le désir prédomine.
C'est un danger, mais c'est une force aussi, l'appoint
qui la met en état d'aider comme il le faut son
homme. Une telle capacité d'amour doit être domi-
née par la raison, c'est-à-dire par le viril, sinon
elle dévie. Cependant, lorsqu'elles sont convenablement orientées, maîtrisées, les puissances de désir
dont la femme est par nature investie se révèlent

capables de soutenir, et de manière très efficace, une ascension spirituelle.

Tel est ce que les hommes ont peu à peu découvert durant le XIIe siècle et qui fut le ferment en ce temps d'une promotion de la femme. La vraie promotion de la femme n'est pas dans le surcroît de parures dont les hommes, tandis que leur niveau de vie s'élevait, revêtirent les femmes. Elle n'est pas dans les apparences de pouvoir qu'ils leur abandonnèrent afin de les mieux dominer. Elle n'est pas dans les simagrées du jeu d'amour courtois. En un temps où le christianisme cessait peu à peu d'être principalement affaire de rites et de pompes extérieures, de gestes, de formules, où il devenait de plus en plus privé, le rapport avec le divin étant désormais conçu comme un élan amoureux de l'âme, ce qui rehaussa la condition de la femme, ce fut la prise de conscience qu'elle peut être, comme Madeleine ou comme Héloïse, montrée en exemple aux hommes parce qu'elle est parfois plus forte qu'eux. Cette force prend sa source dans l'abondance de sa nature animale, dans cette sensualité qui la rend plus prompte à s'enflammer, à brûler d'amour. Est-ce parce que l'obscurité se dissipe, parce que l'information se fait moins indigente, il apparaît à nos yeux que l'Europe en vient au XIIe siècle à mieux apprécier les valeurs de l'amour. Elle s'aperçoit qu'amoureuse la femme, telle Phénice, devient meilleure épouse, qu'elle peut, telle Juette, frayer les voies mystérieuses menant aux noces avec l'Esprit. Les dames de ce temps demeurèrent, c'est certain, soumises au pouvoir des hommes qui les jugeaient toujours dangereuses et fragiles. Quelques-uns d'entre eux cependant, et de plus en plus nombreux, les découvraient objets et sujets d'amour. Ils les regardaient d'un œil moins dédaigneux. C'est ainsi qu'insensiblement elles commencèrent à se dégager des plus strictes entraves où les tenait la puissance masculine.

*

Voici ce qui vient à l'esprit lorsque l'on considère les six images de femmes que j'ai choisi de reconstituer. Ces remarques, je les place en préambule. Elles délimitent en effet le champ où s'est développée l'enquête. Celle-ci ne fut pas sans profits. On le verra dans le prochain livre.

DU MÊME AUTEUR

Aux Éditions Gallimard

DES SOCIÉTÉS MÉDIÉVALES. LEÇON INAUGURALE AU COLLÈGE DE FRANCE, PRONONCÉE LE 4 DÉCEMBRE 1970. Collection « Blanche », 1971.

LE DIMANCHE DE BOUVINES (27 JUILLET 1214). Collection « Trente journées qui ont fait la France » (n° 5), 1973.

GUERRIERS ET PAYSANS (VIIe-XIIe SIÈCLE). PREMIER ESSOR DE L'ÉCONOMIE EUROPÉENNE. Collection « Bibliothèque des Histoires », 1973.

L'AN MIL. Collection « Archives », n° 30, 1974.

LE TEMPS DES CATHÉDRALES. L'ART ET LA SOCIÉTÉ (980-1420). Collection « Bibliothèque des Histoires », 1976.

LES TROIS ORDRES OU L'IMAGINAIRE DU FÉODALISME. Collection « Bibliothèque des Histoires », 1978.

BIBLIOTHÈQUE DES HISTOIRES

Volumes publiés

OUVRAGE COLLECTIF (sous la direction de Pierre Birnbaum) : *La France de l'affaire Dreyfus.*

MONA OZOUF : *La Fête révolutionnaire, 1789-1799.*

MONA OZOUF : *L'École de la France.*

MONA OZOUF : *L'Homme régénéré.*

GEOFFREY PARKER : *La Révolution militaire. La guerre et l'essor de l'Occident, 1500-1800.*

MAURICE PINGUET : *La Mort volontaire au Japon.*

KRZYSZTOF POMIAN : *L'Ordre du temps.*

KRZYSZTOF POMIAN : *Collectionneurs, amateurs et curieux. Paris, Venise : XVIᵉ-XVIIIᵉ siècle.*

ÉDOUARD POMMIER : *L'Art de la liberté. Doctrines et débats de la Révolution française.*

GÉRARD DE PUYMÈGE : *Chauvin, le soldat-laboureur. Contribution à l'histoire des nationalismes.*

PIETRO REDONDI : *Galilée hérétique.*

ALAIN REY : *« Révolution » : histoire d'un mot.*

PIERRE ROSANVALLON : *Le Sacre du citoyen. Histoire du suffrage universel.*

JEAN-CLAUDE SCHMITT : *La Raison des gestes dans l'Occident médiéval.*

JEAN-CLAUDE SCHMITT : *Les Revenants. Les vivants et les morts dans la société médiévale.*

JERROLD SEIGEL : *Paris bohème, 1830-1930.*

ALAIN WALTER : *Érotique du Japon classique.*

BIBLIOTHÈQUE ILLUSTRÉE
DES HISTOIRES

Composé et achevé d'imprimer
sur Roto-Page
par l'Imprimerie Floch
à Mayenne, le 21 mars 1995.
Dépôt légal : mars 1995.
Numéro d'imprimeur : 37098.
ISBN 2-07-074176-1 / Imprimé en France.

71579